CW00819808

EL MENÚ DE CADA DÍA

Karlos Arguiñano

EL MENÚ DE CADA DÍA

PRÓLOGO DE JORDI GARCÍA CANDAU
Director General de RTVE

FOTOGRAFÍAS DE MIKEL ALONSO
DIBUJOS DE ARRASTALU

ASEGARCE / rtve / EDICIONES DEL SERBAL

Primera edición: octubre de 1993
1357908642

Diseño gráfico: Tader Grafistes
Maqueta: Marina Vilageliu
Impreso en España
Depósito legal: B. 27 692/93
Impresión y encuadernación: Grafos S.A. - Arte sobre papel

ISBN 84-7628-130-7

ÍNDICE

SALSAS

ÍNDICE DEL TOMO I

PRÓLOGO

Un recorrido por los títulos de nuestras editoriales, por los anaqueles de las librerías, nos muestra un verdadero diluvio de publicaciones sobre gastronomía, sobre alimentación, sobre cocina, que confirma el interés que la sociedad española de nuestra hora siente por estos saberes y que es prueba, sin duda, de una elevación de sus propias cotas culturales.

No sé si tendría razón Anthelme Brillat-Savarin, autor del ensayo sobre el arte culinario *Phisiologie du goût*, cuando decía que «el descubrimiento de un manjar nuevo es más útil a la humanidad que el de una estrella». Descubrir la exacta —espléndida— elaboración de manjares, de platos sencillos es un placer, cuando menos equivalente al de un manjar nuevo; y eso es lo que realiza en esta obra Karlos Arguiñano.

Ante el lector desfilan las recetas, los manjares suculentos y primarios de nuestra cocina más sencilla y tradicional. Esta obra no es un tratado. El autor quiere realizar una labor docente, que busca ante todo ser entendida y que pueda ser llevada a la ejecución por quienes no son muy duchos en el arte culinario. Pero, al narrar sus recetas, plasma de hecho historia gastronómica antigua y reciente y se incorpora con ella al elenco de quienes nos enriquecen con su enseñanza de esta faceta de la cultura.

Arguiñano ha sabido con arte, experiencia e ilusión por su quehacer, atraer y retener durante meses y meses audiencias numerosísimas en sus programas de TVE.

Este nuevo libro de Arguiñano es prueba, asimismo, de que la importancia de nuestra cocina hoy —de la más sencilla, de la cotidiana, asequible, tradicional— no es algo que se produzca de repente, como si fuera improvisada, sino que es consecuencia de siglos, de una historia larga de bien cocinar.

Ramón Gómez de la Serna que dedicó muchas de sus famosas «greguerías» a temas gastronómicos, decía en una de ellas: «La sartén es el espejo de los huevos fritos». Y es que buena parte de nuestra literatura antigua y reciente ha tocado, de una u otra manera, los temas de cocina; una prueba más de su importancia cultural y cotidiana. Arguiñano no busca hacer literatura —lo que no es su oficio o profesión—; pretende y logra algo igualmente difícil e importante: dar recetas de cocina que se puedan aplicar por quienes son sólo aprendices en el arte culinario.

JORDI GARCÍA CANDAU
Director General de RTVE

EL AUTOR Y SU EQUIPO

KARLOS ARGUIÑANO
Nacido en Beasain el 6-9-48.

Su afición por la cocina nace probablemente, siendo niño, al tener que realizar las tareas culinarias de su casa por enfermedad de la madre. Durante un tiempo y tras cursar estudios de maestría industrial, trabaja en la fábrica de trenes de Beasain como chapista, hasta que, con 17 años, decide apuntarse a la Escuela de Hostelería del Hotel Euromar, de Zarauz, dirigida por el maestro de maestros Luis Irízar, cambiando de este modo la soldadora por los pucheros y las cacerolas.
En los tres años que pasa en la Escuela de Hostelería del Hotel Euromar coincide con lo más destacado de la actual cocina vasca. De aquí pasa al Hotel María Cristina y, posteriormente, al Hotel Londres, ambos en San Sebastián; hasta que en 1970 oficia como jefe de cocina en el Golf de Zarauz. Tras la interesante etapa como jefe de cocina del Golf de Zarauz, Karlos Arguiñano ve cumplido su sueño. En 1979, por fin, crea su propio restaurante. Se trata de un caserón señorial, situado en la playa de Zarauz. En poco tiempo ocupa un lugar destacado en las guías gastronómicas españolas, siendo distinguido, desde 1985, con una estrella en la Guía Michelín. Figurando también en la lista de los diez mejores restaurantes de toda España. En el verano de 1990 añade a su carrera la categoría de hotelero, ampliando las instalaciones e incorporando un hotel de 4 estrellas que cuenta con once habitaciones.
Implicado de lleno en el movimiento de la nueva cocina vasca, siendo defensor y difusor de los principios que la sustentan, viajó en unión de diversos compañeros, por diversos países de Europa. Karlos Arguiñano ha llevado su buen hacer culinario a Estados Unidos, Alemania, Italia, México, Suiza y Suecia. Respondiendo en ocasiones a invitaciones particulares y participando, en otras, en las campañas de promoción turística del Gobierno Vasco.
En la línea de prestigio internacional hay que mencionar que Karlos Arguiñano está en posesión de la calificación de Eurococinero, siendo uno de los cuatro representantes españoles de Eurotoc, Organismo consultivo creado en Bruselas por la Comunidad Económica Europea con el fin de proteger los productos autóctonos y la calidad de las cocinas europeas.
En los últimos años, entre otras numerosas actividades ha dado clases de cocina en Nueva York y Washington. También ha impartido clases en tres escuelas de hostelería de Cuba.

EVA ARGUIÑANO

Nacida en Beasain el 4-4-60. Jefa de repostería del Restaurante Karlos Arguiñano.
Imparte clases de repostería en Artezalen, Sociedades Gastronómicas, Modragón y Semana Gastronómica de Zaldiaran.
Ha participado, con el Gobierno Vasco, en la promoción gastronómica en Alemania e Italia, y mediante la Oficina Comercial de España ha colaborado en la preparación de una cena de periodistas especializados en gastronomía en Nueva York y un posterior cursillo en Washington a cocineros del centro.

MIKEL BERMEJO DEL VAL

Nacido en Sacramenia (Segovia) el 2-10-63.
Empezó con Karlos a los 15 años. En la actualidad ejerce como jefe de partida de pescado desde 1981.
En 1986 gana el Campeonato de Jóvenes Cocineros de Euskadi, por lo cual es invitado a trabajar con Paul Bocuse.
En 1990 gana el III Campeonato de Jóvenes Cocineros de Euskadi.
En 1992 ha representado a España en el Campeonato Europeo de Cocina en Burdeos, obteniendo el 1.er premio en originalidad y creatividad.

PATXI TRULA

Nacido en Zarauz el 28-10-62. Empezó con Karlos, a los 14 años, en el Club de Golf de Zarauz. En la actualidad ejerce como jefe de cocina desde 1981. Ha trabajado con Karlos en Alemania, Italia y América.
Ha recibido en Cuba una medalla de plata en mérito por los servicios prestados en las escuelas de cocina.

ENSALADAS

ENSALADA DE CHIPIRONES Y ATÚN

Ingredientes:

- 8 chipirones medianos
- 8 hojas de lechuga
- 4 tomates
- 100 g de atún en conserva
- 12 anchoas en salazón fileteadas
- agua
- sal

Vinagreta:

- 1 huevo duro picado
- 2 dientes de ajo finamente picados
- ½ pimiento verde finamente picado
- 1 vaso de aceite
- ¼ de vaso de vinagre de sidra
- sal

Elaboración:

Limpiamos los chipirones, los cortamos en aros finos y cocemos 2 minutos en agua salada para que no se pongan duros.

Cortamos la lechuga lavada en juliana y la colocamos en el fondo de 4 platos. Cortamos los tomates por la mitad practicando un movimiento de zigzag para que queden en forma de corona sin romper sus picos, vaciamos parte de su interior, donde colocaremos el atún. Disponemos los chipirones sobre la lechuga y encima las anchoas.

Por último, preparamos una vinagreta mezclando todos los ingredientes en un cuenco y aliñamos con ella la ensalada.

ENSALADA DE ALUBIAS BLANCAS

Ingredientes:

- 300 g de alubias blancas
- costrones de pan frito
- sal

Vinagreta:

- 1 tomate pelado, picado y sin semillas
- 1 huevo duro y picado
- 1 cebolleta picada
- 4 cucharadas de vinagre de sidra
- 10 cucharadas de aceite
- 1 pimiento verde picado
- 4 guindillas en vinagre troceadas
- sal

Elaboración:

Hervimos las alubias, remojadas en agua desde la vigilia, en agua fría salada durante 40 minutos.

Preparamos una vinagreta mezclando y batiendo el tomate, el huevo, la cebolleta, el vinagre, el aceite de oliva, el pimiento, las guindillas y la sal.

Cuando las alubias estén cocidas las escurrimos y pasamos por agua fría.

Colocamos las alubias en el centro de una fuente, las rodeamos con la vinagreta y adornamos con los costrones de pan frito.

ENSALADA DE ATÚN

Ingredientes:

- 7 hojas de lechuga
- 600 g de atún en aceite
- 10 aceitunas negras
- 10 aceitunas verdes

Vinagreta:

- 2 huevos duros
- 1 tomate
- 1 pepinillo en vinagre
- ½ pimiento morrón asado
- perejil picado
- 1 vaso de aceite de oliva virgen
- ½ vaso de vinagre de sidra
- sal

Elaboración:

Limpiamos las hojas de lechuga y las colocamos formando un círculo en una fuente de servicio. Ponemos encima el atún en trozos. Por último, agregamos las aceitunas.

Vinagreta:

Picamos muy finamente los huevos, el tomate pelado y sin semillas, el pepinillo, el pimiento morrón asado y el perejil. Mezclamos todo en un cuenco con el aceite, el vinagre de sidra y la sal. Aliñamos con ello la ensalada y servimos.

ENSALADA DE PERDIZ CON ATÚN

Ingredientes:

- 6 filetes de pechuga de perdiz
- 1 hoja de laurel
- 1 lechuga
- 100 g de atún
- 100 g de queso fresco
- 2 naranjas
- aceitunas negras
- aceite
- vinagre
- sal

Elaboración:

Lo primero es cocer los filetes de perdiz en agua caliente salada, laurel y un chorrito de aceite de 20 a 30 minutos.

Mientras tanto, limpiamos la lechuga y la cortamos en juliana. La colocamos en el fondo de una fuente. Cuando los filetes de perdiz estén cocidos, los escurrimos, cortamos cada uno en cuatro trozos, los colocamos en el centro de la fuente formando un círculo y ponemos alrededor atún en tacos grandes. Intercalamos el atún con tacos de queso fresco y colocamos sobre éstos gajos de naranjas peladas y despepitadas.

Rodeamos el círculo de perdiz con las aceitunas negras.

Aliñamos la ensalada con aceite de oliva, sal y vinagre. Ramita de perejil y servimos.

ENSALADA DE JUDÍAS VERDES

Ingredientes:

- 300 g de judías verdes
- 2 patatas nuevas cocidas
- 1 tomate
- 1 endibia
- mahonesa ligera
- sal
- aceite

Elaboración:

Cocemos las judías verdes en agua salada caliente con un chorro de aceite de oliva de 20 a 30 minutos. Una vez cocidas, las escurrimos y reservamos, dejándolas enfriar.
Montamos el plato con las patatas cortadas en rodajas. Ponemos en el centro las judías verdes. Situamos alrededor el tomate cortado en octavos y las hojas de endibia. Aliñamos con sal y mahonesa aligerada con un poco del caldo de cocción de las judías. También se puede aliñar la ensalada con aceite y vinagre.

ENSALADA DE LANGOSTINOS

Ingredientes:

- 250 g de cintas hervidas
- 1 tomate
- 100 g de judías verdes hervidas
- 8 hojas de lechuga rizada
- 1 manojo de hierba de los canónigos
- 5 colas de langostinos hervidas
- 3 cucharadas de aceite de oliva
- 1 cucharada de vinagre de sidra
- sal gorda

Elaboración:

Una vez estén todos los ingredientes limpios y preparados, montamos la fuente.

Colocamos en el fondo la pasta cocida y refrescada. Encima el tomate en daditos y las judías. Ponemos la lechuga en los bordes de la fuente y esparcimos las hojas de canónigo por encima. Colocamos encima los langostinos partidos por la mitad y por último aliñamos con sal gorda, aceite de oliva y vinagre de sidra.

ENSALADA
DE TOMATE Y BACALAO

Ingredientes:

- 4 trozos de bacalao desalado
- agua o leche
- 4 tomates maduros
- 1 patata nueva cocida
- 1 manojo de berros
- aceite de oliva virgen
- vinagre de estragón
- sal y pimienta negra

Elaboración:

Escaldamos el bacalao en agua o leche y lo separamos en láminas.

Pelamos los tomates, les quitamos las semillas, los cortamos en rodajas y asamos a la plancha espolvoreando con sal, pimienta negra y un chorrito de aceite.

Ponemos en un plato las rodajas de tomate. Colocamos encima la patata a láminas y sobre éstas más rodajas de tomate, cubriendo finalmente con las láminas de bacalao.

Por último, ponemos alrededor unos berros bien lavados. Aliñamos con aceite, vinagre y sal. Lista para servir la ensalada, tibia o fría.

ENSALADA DE SETAS

Ingredientes:

- 16 gambas peladas o langostinos
- 2 huevos duros
- 2 dientes de ajo
- 800 g de setas (champiñones, setas calabaza, rebozuelos)
- 1 pimiento verde
- sal
- aceite
- vinagre

Elaboración:

Hervimos las gambas en agua salada, las escurrimos y dejamos enfriar.

Cortamos los huevos duros a cuartos. Picamos el ajo muy finamente y lo ponemos a dorar en una sartén con un poco de aceite.

Incorporamos las setas cortadas a láminas, salamos y sofreímos.

Cortamos el pimiento verde en juliana muy fina.

Montamos el plato poniendo en el fondo las gambas, las setas calientes encima. Colocamos los huevos alrededor y el pimiento verde sobre las setas.

Aliñamos con aceite, vinagre y sal. Servimos.

KA

SOPAS Y CREMAS

CREMA DE CHAMPIÑONES

Ingredientes:

- 3 dientes de ajo
- 1 puerro
- 1 zanahoria
- 750 g de champiñones
- 1 chorrito de Jerez
- 1¼ l de leche
- 1 chorrito de nata
- 250 g de champiñones para adornar
- 1 cucharadita de harina de maíz
- 2 yemas
- aceite
- sal
- pimienta

Elaboración:

En una cazuela con un poco de aceite sofreímos los ajos, el puerro, la zanahoria y los champiñones picados. Vertemos el jerez y al cabo de un rato un poco de agua hasta cubrir los ingredientes. Dejamos cocer 20 o 30 minutos.

Tamizamos la preparación. Le añadimos la leche, la nata líquida y el resto de champiñones, finamente picados. Ponemos al fuego y cuando la crema hierva le agregamos 1 cucharadita de harina de maíz desleída en agua y sazonamos con pimienta. Dejamos cocer otros 5 minutos y añadimos removiendo las yemas batidas. Rectificamos la sal y servimos.

SOPA AL AZAFRÁN

Ingredientes:

- 1 l de caldo de verduras
- 1 cebolleta
- 2 puerros
- 2 dientes de ajo
- 100 g de pan casero tostado
- ½ cucharadita de azafrán
- 5 rebanadas de pan
- sal
- aceite

Elaboración:

Ponemos al fuego una cacerola con el caldo.

Aparte, picamos muy finamente la cebolleta, los puerros y 1 diente de ajo. Ponemos a sofreír con aceite en una cacerola y salamos. Cuando se doren, añadimos el pan tostado y troceado. Removemos y agregamos el azafrán y el caldo hirviendo. Dejamos cocer a fuego suave 30 minutos, o bien horneamos la sopa a 180 grados 30 minutos.

Cuando la sopa esté lista, freímos las rebanadas de pan, las untamos con ajo y colocamos en la sopa.

CREMA DE GUISANTES CON TROPEZONES

Ingredientes:

- 1 kg de guisantes pelados
- 3 patatas nuevas
- 2 cucharadas de aceite de oliva
- 6 espárragos blancos hervidos
- sal
- agua

Para freír los espárragos:

- harina, aceite y sal

Elaboración:

Hervimos los guisantes y las patatas en agua salada con 2 cucharadas de aceite de oliva durante 20 minutos aproximadamente a fuego no muy vivo. Los trituramos y pasamos por el chino.

Una vez los espárragos cocidos (también pueden ser de lata), los troceamos, rebozamos con huevo y harina y freímos. Los añadimos a la crema o acompañamos ésta con los mismos.

SOPA CASERA

Ingredientes:

- 1 cebolla
- 100 g de jamón un poco graso
- 50 g de tocino
- 1 pimiento morrón asado
- 1½ tazas de arroz
- 200 g de guisantes hervidos
- 1 hoja de laurel
- 1 l de agua
- 2 huevos duros
- perejil
- sal
- aceite

Elaboración:

En una cazuela con un poco de aceite sofreímos la cebolla picada. Cuando esté doradita añadimos el jamón cortado en tacos pequeños, el tocino a taquitos y el pimiento morrón pelado y picado. Después agregamos el arroz, los guisantes y una hoja de laurel, dejamos rehogar de 3 a 4 minutos y echamos el agua.

Dejamos que cueza a fuego lento 15 minutos, hasta que el arroz se haga. Espolvoreamos con los huevos pelados y picados. Adornamos con el perejil y servimos.

SOPA DE BERROS

Ingredientes:

- 500 g de guisantes
- 500 g de habas
- 3 cebolletas
- 1 manojo de berros
- 1 l de caldo de ave
- 2 huevos
- sal
- aceite

Elaboración:

Desgranamos los guisantes y las habas. Con las vainas preparamos un poco de caldo.

Aparte picamos finamente las cebolletas y las sofreímos en una cazuela con aceite. Cuando estén doradas, agregamos las habas, los guisantes y las hojas de los berros finamente picadas. Dejamos sofreír bien y vertemos el caldo de ave y también el de las vainas. Dejamos cocer 20 minutos y añadimos al final los huevos batidos. Los vertemos despacio a través de un tamiz para que cuajen y formen largas hebras.

Rectificamos la condimentación y servimos enseguida.

SOPA DE PAN Y PIMIENTOS

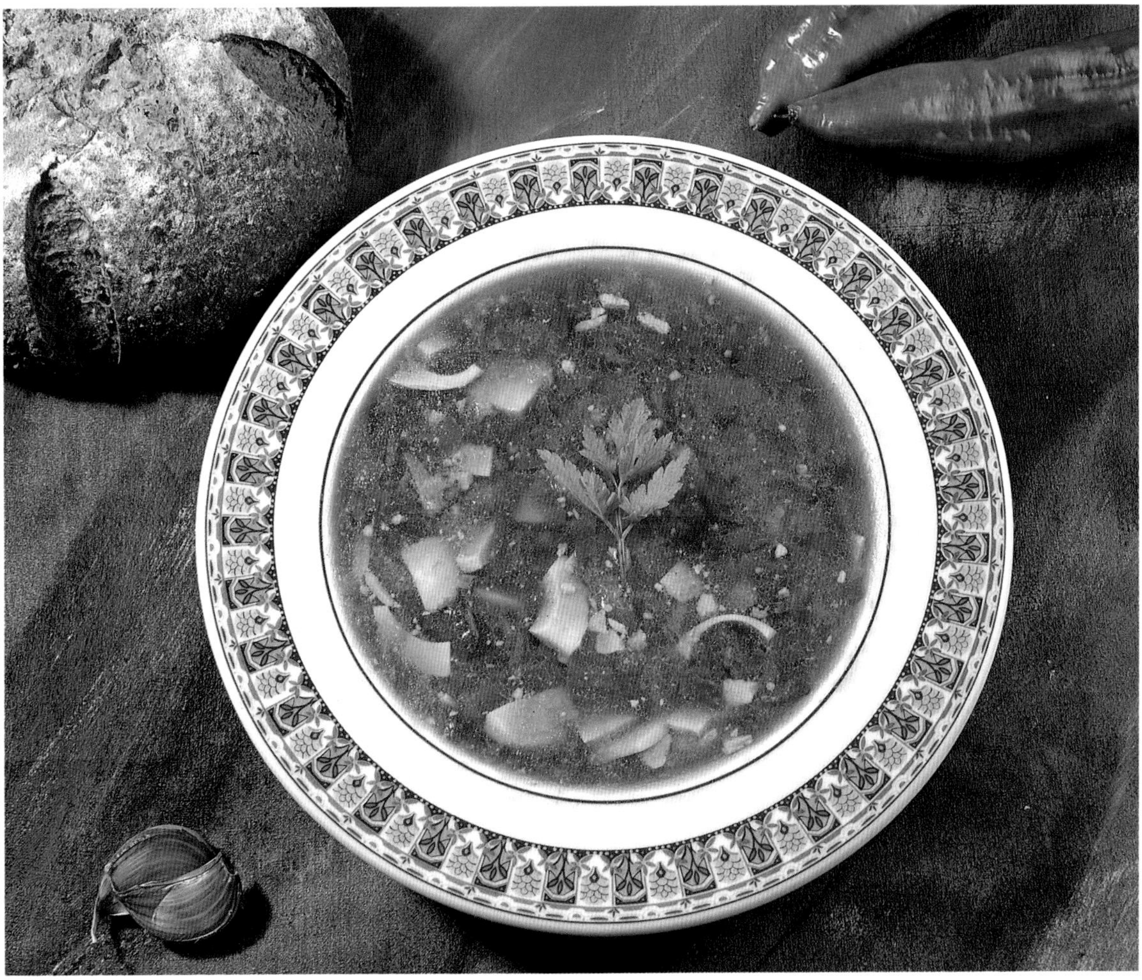

Ingredientes:

- 4 dientes de ajo
- 3 pimientos verdes
- 1 tomate maduro
- 4 rebanadas de pan duro
- 1½ l de agua o caldo
- 3 huevos duros
- sal
- aceite

Elaboración:

Sofreímos los ajos, los pimientos troceados y el tomate picado y sin semillas en 3 cucharadas de aceite. Cuando estén bien rehogados, añadimos el pan y después el caldo. Dejamos cocer 20 minutos. Transcurrido este tiempo, incorporamos los huevos duros, pelados y picados y dejamos cocer otros 5 minutos.
Salamos al gusto y servimos bien caliente.

SOPA DE TOMATE

Ingredientes:

- 2 cebollas o cebolletas
- 3 dientes de ajo
- 1 kg de tomates maduros
- ½ l de agua
- ½ vaso de nata líquida
- 8 rebanadas de pan frito
- 1 diente de ajo
- menta picada
- sal
- azúcar
- aceite de oliva

Elaboración:

Picamos las cebollas y fileteamos los dientes de ajo. Los sofreímos en una cazuela con aceite.

A continuación, picamos los tomates y los echamos a la cazuela. Freímos unos minutos y vertemos el agua, dejando cocer a fuego lento de 20-25 minutos con un poco de sal y azúcar. Transcurrido este tiempo, trituramos la sopa con la ayuda de un pasapurés o una batidora y la tamizamos. Le añadimos la nata líquida y rectificamos la sal.

Para servir, añadimos a la sopa unos costrones de pan frito untados con ajo y menta picada.

Puede servirla fría o caliente.

SOPA DE TAPIOCA

Ingredientes:

- 1½ l de caldo de ave
- 20 g de tapioca
- 2 huevos duros
- perejil picado
- sal

Elaboración:

Ponemos el caldo colado en una cazuela al fuego. Cuando rompa a hervir, echamos la tapioca en forma de lluvia, dándole vueltas con una cuchara para que no se formen grumos. Dejamos cocer de 10 a 15 minutos aproximadamente y agregamos los huevos picados y el perejil. Rectificamos la sal y servimos la sopa. También podemos echarle un chorro de aceite de oliva por encima antes de servirla.

SOPA DE VENDIMIA

Ingredientes:

- 2 dientes de ajo
- 2 puerros
- 3 patatas
- agua o caldo
- perejil
- pimienta
- 250 g de bacalao desmigajado
- sal
- aceite

Elaboración:

En una cazuela con un chorro de aceite freímos los ajos enteros y los reservamos.
Sofreímos los puerros limpios y cortados en rodajas, añadimos las patatas peladas y cortadas en trozos, salteamos un par de minutos y vertemos agua o caldo hasta cubrir las patatas. Cuando lleven 10 minutos cociendo, incorporamos los ajos fritos majados con el perejil picado y la pimienta. Dejamos cocer a fuego lento y al cabo de 5 minutos echamos el bacalao. Dejamos cocer otros 5 minutos. Rectificamos la sal, ponemos un chorrito de aceite y abundante perejil picado y servimos bien caliente.

SOPA DE ZANAHORIAS

Ingredientes:

- ½ kg de zanahorias
- 1 cebolleta
- 40 g de mantequilla
- 40 g de arroz
- 1 l de caldo de verduras
- sal
- costrones de pan frito

Elaboración:

Cortamos la zanahoria en rodajas finas. Picamos también finamente la cebolleta y la sofreímos con las zanahorias en una cazuela con la mantequilla a fuego lento.

A continuación, añadimos el arroz y el caldo caliente, sazonamos y dejamos cocer a fuego lento unos 20 minutos. Si la sopa quedara espesa, agregamos más caldo, la calentamos y, antes de servir, incorporamos los costrones de pan frito.

SOPA SALAMANDROÑA

Ingredientes:

- 2 pimientos verdes
- 2 cebolletas
- 2 tomates
- 300 g de calabaza
- 2 dientes de ajo
- 1 pimiento rojo
- 10 sardinas fileteadas
- 1 l de agua
- aceite de oliva
- sal

Elaboración:

Una vez limpios y picados los pimientos verdes, las cebolletas y los tomates, los sofreímos en una cazuela con un chorro de aceite.

Cuando estos ingredientes estén dorados, sazonamos, vertemos el agua y dejamos cocer durante 15 minutos. Transcurrido este tiempo, incorporamos la calabaza cortada en dados, los ajos cortados en láminas y el pimiento rojo picado y dejamos cocer otros 15 minutos.

Pasado este tiempo, colocamos los filetes de sardina sazonados sobre la sopa, ya cocida, y dejamos cocer 5 minutos a fuego lento con la cazuela tapada. Una vez cocidas, trasladamos las sardinas a un plato para que no se rompan.

Servimos la sopa y colocamos encima los filetes de sardina.

GAZPACHO DE TRIGUEROS

Ingredientes:

- 2 manojos de espárragos trigueros
- 4 huevos duros
- 2 dientes de ajo
- 1 cucharada de vinagre
- 1,2 l de agua
- 3 patatas grandes
- perejil
- 1 chorrito de vino blanco
- sal
- 3 cucharadas de aceite de oliva

Elaboración:

Preparamos los espárragos y los freímos en una sartén con el aceite. Escurrimos y dejamos enfriar. Trituramos la mitad de los espárragos con las yemas, los ajos y el vinagre y añadimos el agua poco a poco. Una vez todo triturado bien fino, agregamos el resto de los espárragos, las patatas cortadas en rodajas y fritas, y las claras de los huevos picadas. Rectificamos la sal, vertemos el vino, espolvoreamos con perejil, mezclamos y servimos.

VICHYSSOISE AL AROMA DE APIO

Ingredientes:

- 10 puerros pequeños
- 1 cebolleta
- 3 patatas
- 3 cucharadas de mantequilla o margarina
- ½ l de leche
- 1 l de agua
- 2 tallos de apio
- sal
- pimienta blanca

Elaboración:

Picamos sólo la parte blanca de los puerros, la cebolleta y las patatas y los ponemos a sofreír en una cazuela con la mantequilla, sin que se doren. Añadimos la leche, el agua, salpimentamos y dejamos cocer a fuego muy suave sin que la preparación llegue a hervir, 30 minutos aproximadamente. La pasamos por la batidora y luego por un tamiz. Rectificamos la sal y la pimienta y añadimos el apio escaldado y finamente picado. Servimos bien frío.

PRIMEROS PLATOS

ACELGAS CON ANCHOAS

Ingredientes:

- 1 kg de acelgas
- 1 cabeza de ajo
- 1 cebolleta
- 12 filetes de anchoa enlatados
- aceite de oliva
- sal

Elaboración:

Cortamos las acelgas en trozos de unos 3 cm aproximadamente y las hervimos en agua salada junto con la cabeza de ajos sin pelar. Una vez cocidas, escurrimos las acelgas y las reservamos. Pelamos los ajos y los reducimos a puré.

En una sartén con aceite, sofreímos la cebolleta finamente picada. Cuando esté dorada, agregamos el puré de ajo. Sofreímos y añadimos las anchoas picadas, removemos bien e incorporamos finalmente las acelgas. Mezclamos bien, rectificamos la sal y servimos bien caliente.

AJOS TIERNOS CON MOLLEJAS Y HUEVOS ESCALFADOS

Ingredientes:

- 10 ajos tiernos
- 300 g de mollejas, preferentemente de cordero
- pimienta
- 2 dientes de ajo
- 4 huevos
- harina
- sal
- aceite

Elaboración:

Pelamos y lavamos los ajos y los cortamos en juliana. Limpiamos también las mollejas, las salpimentamos y cortamos. Después, las pasamos por harina y freímos en aceite con los dientes de ajo previamente dorados. Cuando estén casi hechas, añadimos los ajos tiernos y finalizamos la cocción.

Para servir, ponemos la preparación en un plato y colocamos en un costado los huevos escalfados en agua por debajo del punto de ebullición unos 3 minutos.

ALUBIAS BLANCAS CON JUDÍAS

Ingredientes:

- 300 g de alubias blancas
- 1 zanahoria
- 1 tomate
- 1 pimiento verde
- 300 g de judías verdes
- 2 dientes de ajo
- aceite
- sal
- agua

Elaboración:

Ponemos a remojar las alubias desde la víspera.

Ponemos a cocer las alubias con la zanahoria, el tomate y el pimiento verde en agua fría. Si vemos que se van quedando secas, agregamos agua fría, pero siempre poco a poco, para que no pierdan el hervor. Las salamos al final.

Cuando estén cocidas, agregamos las judías verdes y los dientes de ajo fileteados sofritos en aceite de oliva.

Dejamos cocer el guiso 20 minutos a fuego lento. La salsa no tiene que quedar muy espesa ni tampoco muy ligera. Con un punto medio o caldo gordo. Rectificamos la condimentación y servimos bien caliente.

ARROZ CON CALABACINES

Ingredientes:

- 1 puerro
- 1 diente de ajo
- 2 cebolletas
- 2 tomates maduros
- 4 tacitas de arroz
- 1 l de caldo de carne
- 4 calabacines pequeños
- aceite
- sal

Elaboración:

En una cazuela con un chorro de aceite sofreímos el puerro, el ajo, las cebolletas y los tomates, troceados. Añadimos el arroz y lo sofreímos unos minutos. Cubrimos con el caldo, empleando doble cantidad de caldo que de arroz. Dejamos cocer a fuego medio 20 minutos.

Cortamos los calabacines en trozos grandes sin pelar y los añadimos al arroz 5 minutos antes de terminar la cocción.

Es importante que tanto calabacines como puerros y cebolletas queden «al dente», es decir, un poquito duros.

Cuando el arroz esté a punto, al cabo de 20 minutos aproximadamente, lo servimos enseguida.

ARROZ CON CORDERO

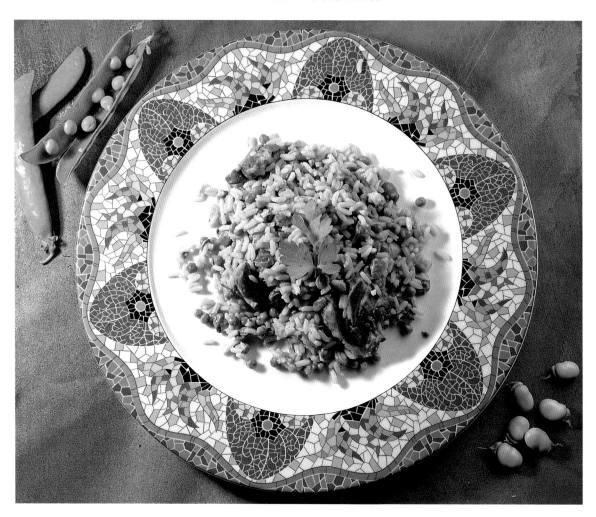

Ingredientes:

- 300 g de guisantes desgranados
- 300 g de habas desgranadas y peladas
- 800 g de carne de cordero
- 1 diente de ajo
- 300 g de arroz
- sal
- pimienta
- aceite

Elaboración:

Hervimos en agua salada los guisantes y las habas. Reservamos. Troceamos en dados pequeños la carne y la sofreímos en una cazuela con el ajo picado y aceite. Cuando se dore, la sazonamos con sal y pimienta y agregamos el arroz, que sofreiremos bien. Vertemos doble cantidad de agua que de arroz y dejamos cocer 20 minutos. Antes de que toda el agua se evapore (5 minutos antes del final), agregamos los guisantes y las habas. Rectificamos la sal y servimos.
Para la cocción del arroz podemos aprovechar el agua en que cocimos los guisantes y las habas.

ARROZ CON VERDURAS Y HUEVO ESCALFADO

Ingredientes:

- 1 tomate
- 1 cebolleta
- 1 pimiento morrón
- 1 zanahoria
- 300 g de arroz
- 7 dl de caldo de verduras
- 4 huevos
- sal
- aceite

Elaboración:

Picamos el tomate, la cebolleta, el pimiento morrón y la zanahoria y los sofreímos con un poco de aceite. Añadimos el arroz y lo sofreímos bien. Vertemos el caldo de verduras, salamos y dejamos cocer unos 20 minutos. Cuando haya pasado este tiempo, añadimos los huevos cascados procurando que no se rompan y los escalfamos 2 minutos por debajo del punto de ebullición. Retiramos el recipiente del fuego y lo dejamos tapado 3 minutos más. Servimos enseguida. Es conveniente preparar el arroz en una cazuela ancha y plana para que éste se cueza uniformemente.

CHARLOTA DE BERENJENAS Y MOLLEJAS

Ingredientes:

- 2 berenjenas
- 250 g de mollejas de ternera
- 1 cebolla
- 2 dientes de ajo
- 8 champiñones
- ½ vaso de vino blanco
- 3 cucharadas de tomate
- ½ cucharada de pan rallado
- salsa española, u otra salsa para carne (tomo I, p. 47)
- sal
- aceite
- 4 moldes de aluminio individuales

Elaboración:

Cortamos las berenjenas en lonchas finas y las freímos en aceite, escurrimos y reservamos.

En una sartén salteamos las mollejas con la cebolla y el ajo picados. Añadimos los champiñones fileteados y el vino blanco, dejamos reducir. A continuación, incorporamos el tomate picado, el pan rallado, la sal y reservamos la preparación.

Forramos los moldes con las lonchas de berenjenas, vertemos la preparación de mollejas y tapamos con las lonchas de berenjenas restantes. Si la masa quedara muy ligera, añadimos dos huevos y mezclamos bien antes de poner la preparación en el molde.

Precalentamos el horno. Cocemos los moldes al baño maría 20 minutos sin que el agua llegue a hervir.

Para servir, vertemos la salsa caliente en el fondo de cada plato y volcamos encima la charlota sacándola del molde con mucho cuidado.

BERENJENAS RELLENAS

Ingredientes:

- 4 berenjenas
- 3 cebollas
- 150 g de champiñones
- unas ramitas de perejil
- 100 g de miga de pan desmenuzada
- 2 yemas de huevo
- salsa de tomate
- aceite

Elaboración:

Cortamos por la mitad a lo largo las berenjenas y las vaciamos con cuidado. Picamos la carne de las berenjenas y la sofreímos con las cebollas finamente picadas en una sartén con aceite. Cuando estén doradas, agregamos los champiñones picados, el perejil y la miga de pan. Sofreímos bien hasta obtener un relleno consistente. Salamos, retiramos del fuego y lo ligamos con las yemas batidas. Rellenamos las berenjenas con la mezcla y salsa de tomate. Colocamos las berenjenas en una placa de horno, las rociamos con un chorrito de aceite y horneamos a 180 grados durante 20 minutos. Para servir, adornamos con unas rodajas de berenjena frita, champiñones fileteados y salsa de tomate.

BORRAJAS GRATINADAS

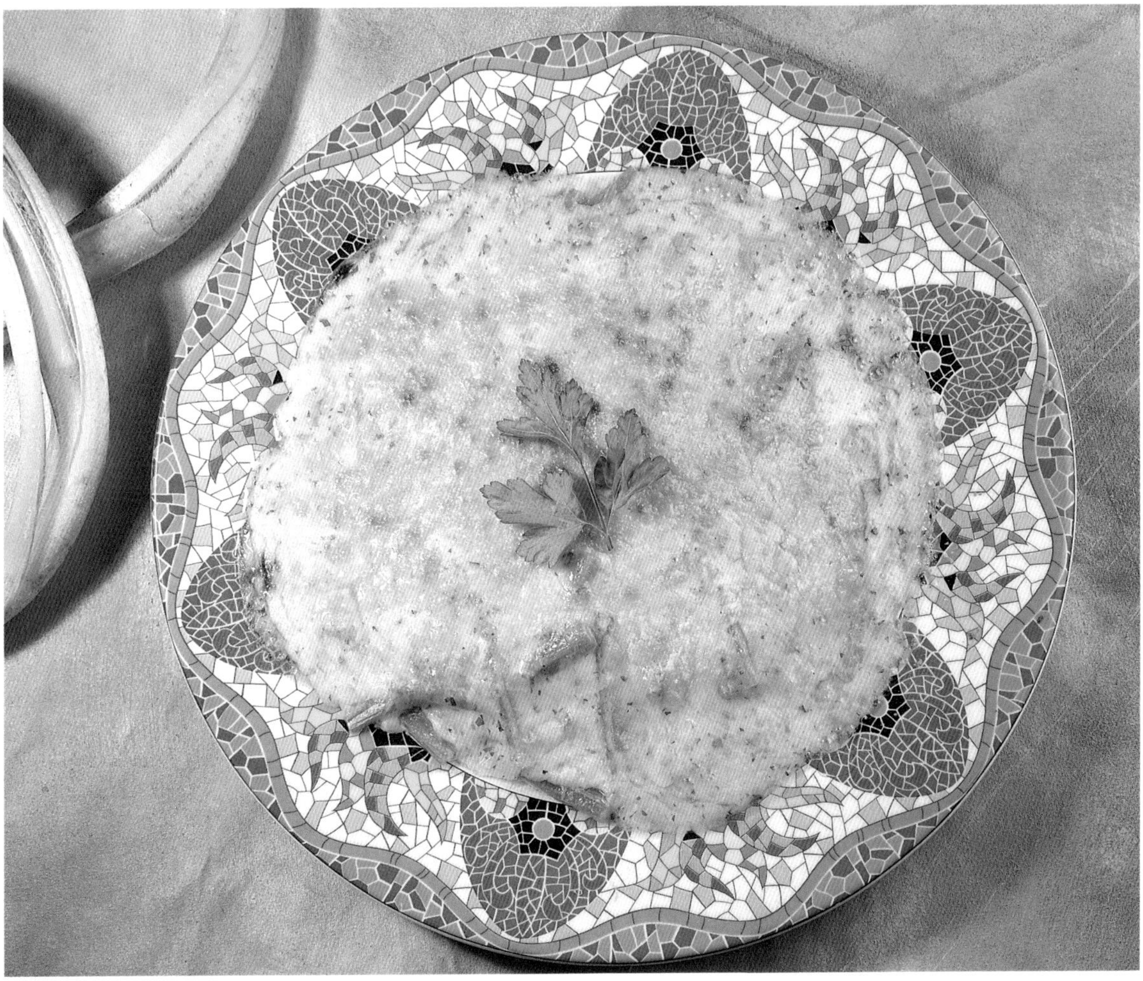

Ingredientes:

- 1½ kg de borrajas
- 100 g de mantequilla
- 2 cucharadas de harina
- 75 g de queso rallado suave
- perejil picado
- agua
- sal
- pimienta

Elaboración:

Cortamos las borrajas, bien limpias y troceadas, en trozos de unos 5 cm. Las hervimos en agua poco salada. Cuando estén tiernas, las escurrimos bien. Las colocamos en una fuente o plato refractario y las cubrimos con una salsa *velouté*..

La *velouté* es una variante de la bechamel que en este caso se prepara con parte del agua de cocer las borrajas, la mantequilla, y la harina. Salpimentamos.

Una vez hayamos cubierto las borrajas con la salsa, las espolvoreamos con el perejil y el queso rallado y las gratinamos en el horno unos minutos.

Se sirven calientes.

CALABACINES RELLENOS DE AJOARRIERO

Ingredientes:

- 2 calabacines
- 2 dientes de ajo
- 1 cebolleta
- 1 pimiento verde
- 300 g de bacalao desalado
- 3 cucharadas de salsa de tomate
- aceite
- sal
- salsa vizcaína

Elaboración:

Cortamos los calabacines en cilindros de 5 cm de altura, vaciamos su interior, los salamos y dejamos cocer al vapor unos 10 minutos. Preparamos el ajoarriero; sofreímos los ajos, la cebolleta y el pimiento verde cortados en juliana con un poco de aceite. Después, añadimos el bacalao desalado y desmigajado y la salsa de tomate y dejamos cocer 5 minutos. Salamos si fuese necesario. Rellenamos los calabacines con el bacalao ajoarriero.
Colocamos la salsa vizcaína en el fondo de una fuente y disponemos encima los calabacines. Servimos bien calientes. Se pueden recalentar en el horno.

CARACOLES CON SETAS

Ingredientes:

- ½ kg de caracoles
- 2 dientes de ajo
- 1 cebolla
- 1 pimiento verde
- ½ kg de setas (de cardo, rebozuelos, níscalos)
- 1 vaso de salsa de tomate
- 1 cucharada de pasta de pimientos choriceros o la carne de 4
- 1 guindilla
- 1 hoja de laurel
- aceite
- sal

Elaboración:

Limpiamos muy bien los caracoles uno a uno en agua salada. Después, los ponemos a cocer en agua fría salada hasta que suelten espuma; unos 8 minutos.

Aparte, sofreímos los ajos con la cebolla y el pimiento verde picados. Añadimos las setas troceadas y dejamos cocer 15 minutos a fuego lento.

Incorporamos los caracoles, la salsa de tomate, la carne de los pimientos choriceros, la guindilla y el laurel. Sofreímos bien y dejamos rehogar 15 minutos a fuego no muy fuerte, añadiendo un poco de agua si fuese necesario. Rectificamos la sal y el picante y servimos bien caliente.

ESPÁRRAGOS BLANCOS Y VERDES A LA PLANCHA

Ingredientes:

- 8 espárragos blancos
- ½ limón
- 8 espárragos verdes
- agua, sal, aceite

Vinagreta:

- 4 cucharadas de aceite
- 2 cucharadas de vinagre
- 1 huevo duro
- 1 tomate
- sal

Elaboración:

Pelamos los espárragos blancos y los hervimos en agua salada con el zumo de ½ limón durante 30 minutos. Escurrimos y reservamos.
Cortamos las partes duras a los espárragos verdes y los hervimos en agua salada durante 10 minutos. Escurrimos y reservamos.
Preparamos una vinagreta con el aceite, el vinagre, el huevo duro pelado y picado y el tomate también picado. Salamos y batimos con una cuchara.
Cocemos a la plancha los espárragos de 2 a 4 minutos por lado con un chorrito de aceite. Los trasladamos a una fuente y rociamos con la vinagreta antes de servir.
En caso de no disponer de plancha, se pueden gratinar en el horno.

CAZUELA DE FIDEOS ANDALUZA

Ingredientes:

- 1 cebolla
- 2 dientes de ajo
- 2 pimientos verdes
- 1 hoja de laurel
- unas hebras de azafrán
- 1 l de agua
- 200 g de patatas
- 200 g de fideos
- 200 g de caballa fileteada
- perejil
- 3 cucharadas de aceite
- sal

Elaboración:

Ponemos a sofreír en una cazuela con el aceite la cebolla, el ajo y los pimientos verdes. Sazonamos. Añadimos el laurel y las hebras de azafrán tostadas y desleídas en agua. Dejamos rehogar unos minutos y cubrimos con un litro de agua.

Después, echamos las patatas peladas y cuarteadas y las dejamos cocer 15 minutos. A los 10 minutos de cocción, agregamos los fideos y después la caballa troceada y el perejil picado, dejando cocer 5 minutos más.

Dejamos reposar un rato la preparación y la servimos.

ESPAGUETIS AL ROQUEFORT

Ingredientes:

- 400 g de espaguetis
- 150 g de queso roquefort
- ½ vaso de nata
- 40 g de mantequilla
- sal
- pimienta negra molida
- perejil picado

Elaboración:

Hervimos los espaguetis en abundante agua salada. Escurrimos y reservamos.

Desmenuzamos el queso y lo mezclamos con la nata. Salpimentamos.

Aparte, derretimos la mantequilla y salteamos en ella la pasta. La mezclamos cuidadosamente con la salsa de nata y queso y dejamos cocer a fuego lento de 3 a 4 minutos.

Añadimos el perejil picado y servimos muy caliente.

ESPÁRRAGOS BLANCOS Y VERDES GRATINADOS

Ingredientes:

- 8 espárragos blancos
- 8 espárragos verdes
- queso parmesano rallado
- 1 nuez de mantequilla o margarina
- agua
- sal

Elaboración:

Cortamos los extremos duros y leñosos de los espárragos blancos y verdes, pelamos los espárragos blancos y hervimos los espárragos por separado en agua salada unos 20 minutos. Cocemos los blancos el mismo tiempo que los verdes.

Una vez cocidos y escurridos, los colocamos en una fuente refractaria alternando los colores. Esparcimos por encima abundante queso rallado y mantequilla a copos. Gratinamos tres minutos en el horno y servimos.

ESPINACAS A LA CREMA

Ingredientes:

- 1 kg de espinacas
- harina
- 2 huevos
- aceite para freír
- sal
- 300 g de habas desgranadas
- 8 pencas de acelga
- 2 patatas
- 50 g de queso rallado
- perejil picado

Elaboración:

Dejamos cocer las hojas de espinaca saladas al vapor, pues así quedan más verdes y conservan mucho mejor sus propiedades. Las escurrimos y las picamos muy finas. Formamos unas bolas pequeñas y las rebozamos con harina y huevo. Las freímos en abundante aceite caliente y las reservamos.

Aparte, hervimos las pencas, las patatas peladas y las habas en un poco de agua. Cuando todo esté cocido, retiramos las habas; reducimos el resto a una crema y rectificamos la sal. Para la crema, pasamos patatas y pencas por el chino o el pasapurés.

Ponemos esta crema en una cacerola ancha y plana, incorporamos las habas y las albóndigas de espinacas. Dejamos cocer 5 minutos y espolvoreamos con queso rallado y perejil picado. Acto seguido servimos.

ENDIBIAS GRATINADAS

Ingredientes:

- 8 endibias
- ½ limón
- 50 g de jamón serrano
- 50 g de tocino
- 8 cucharadas de pan rallado
- 4 cucharadas de queso rallado
- 1 cebolleta
- 2 tomates
- 1 diente de ajo
- ½ taza de leche
- perejil picado
- aceite
- sal

Elaboración:

Cocemos las endibias en agua salada y el zumo de medio limón unos 10 minutos. Las escurrimos y reservamos.
Mezclamos en un cuenco el jamón, el tocino, el pan y el queso rallados, la cebolleta, los tomates y 1 diente de ajo bien picados. Agregamos también la leche, mezclamos bien y espolvoreamos con perejil picado.
Ponemos en el fondo de una fuente parte de esta mezcla. Abrimos las endibias por la mitad y las colocamos encima. Las cubrimos con el resto de la salsa y un chorrito de aceite.
Las gratinamos 5 minutos y servimos enseguida.

FONDOS DE ALCACHOFAS CON CEBOLLA

Ingredientes:

- 12 fondos de alcachofa
- el zumo de 1 limón
- 30 g de mantequilla
- 3 cebolletas
- 1 cucharada de vinagre
- 100 g de queso rallado
- sal
- pimienta
- salsa de tomate

Elaboración:

Dejamos cocer a fuego lento los fondos de alcachofa en agua salada con el zumo de limón. Una vez cocidos, los dejamos escurrir boca abajo.

Aparte, derretimos la mantequilla en una cazuela y añadimos las cebolletas cortadas en dados pequeños. Cuando se doren, agregamos el vinagre y sazonamos con sal y pimienta.

Con este sofrito, rellenamos los fondos de alcachofa, los espolvoreamos con queso rallado y los gratinamos en el horno.

Para servir, cubrimos el fondo de cada plato con salsa de tomate y colocamos encima las alcachofas.

GUISANTES CON ALMEJAS

Ingredientes:

- ½ kg de guisantes desgranados
- 2 cebolletas
- 2 cucharadas de aceite de oliva
- ½ cucharada de harina
- 300 g de almejas
- sal

Elaboración:

Hervimos los guisantes con las cebolletas picadas en un cuarto de litro de agua y un poco de sal durante 20 minutos. Los escurrimos y reservamos el caldo y las verduras, por separado.
Aparte, ponemos una cacerola al fuego con 2 cucharadas de aceite y añadimos la harina, la doramos removiendo y agregamos el caldo de los guisantes. Incorporamos las almejas. Dejamos que se abran en unos 5 minutos. Agregamos los guisantes y las cebolletas y proseguimos la cocción a fuego lento de 3 a 4 minutos.
Listo para servir bien caliente.

GUISANTES CON GAMBAS

Ingredientes:

- 3 cebollas
- 1 kg de guisantes desgranados
- ½ kg de gambas
- 1 nuez de mantequilla
- 1 cucharada de harina
- sal
- aceite

Elaboración:

Picamos las cebollas y las sofreímos en una cacerola con un chorrito de aceite. Cuando estén bien sofritas, añadimos los guisantes y los cubrimos con agua. Salamos y dejamos cocer 25 minutos. Aparte, salteamos en una sartén las gambas peladas con la mantequilla.

Escurrimos los guisantes y reservamos el caldo. Espolvoreamos con harina las gambas y les damos unas vueltas. Incorporamos los guisantes y añadimos 1 taza de café del caldo de cocción de los guisantes. Los dejamos cocer 3 minutos, rectificamos la sal y servimos bien caliente.

HABAS A LA SALMANTINA

Ingredientes:

- 1 kg de habas desgranadas
- 200 g de chorizo
- 150 g de jamón
- 1 cucharadita de pimentón
- 2 huevos duros
- sal
- aceite

Elaboración

Hervimos las habas en agua salada con un chorrito de aceite. Cortamos a lonchas el chorizo y el jamón en tacos y los salteamos con aceite en una sartén. Espolvoreamos fuera del fuego con el pimentón.

Escurrimos las habas sin dejarlas secar del todo. Las agregamos a la sartén con el jamón, el chorizo y los huevos duros cortados a cuartos. Damos un hervor. Si fuese necesario, añadimos más caldo y un poco de harina de maíz o fécula desleída en un poco de agua fría para ligar la salsa.

Se sirve bien caliente.

HUEVOS EN CAZUELA CON TOMATE

Ingredientes:

- 200 g de tocineta
- 200 g de chorizo
- ½ l de salsa de tomate
- 4 huevos
- 4 lonchas de queso
- 8 triángulos de pan frito
- sal
- aceite
- 4 cazuelas de barro pequeñas

Elaboración:

Troceamos la tocineta y el chorizo y los freímos en una sartén con aceite. Escurrimos y mezclamos con la salsa de tomate caliente. Vertemos la preparación en 4 cazuelas de barro pequeñas.
Cascamos un huevo en cada molde, sazonamos y ponemos una loncha de queso encima de cada huevo. Horneamos a 180 grados, hasta que los huevos cuajen, momento en que ya están listos para servir.
Adornamos con el pan frito y llevamos a la mesa.

HABAS GUISADAS

Ingredientes:

- 1 cebolleta
- 1 diente de ajo
- 1 tomate
- 100 g de jamón serrano
- ½ kg de patatas
- 1 kg de habas tiernas desgranadas
- 2 huevos duros
- sal
- aceite

Elaboración

En una cazuela con un chorro de aceite ponemos a sofreír la cebolleta, el ajo y el tomate pelado y sin semillas, picados.
Cuando esté bien sofrito, incorporamos el jamón, las patatas peladas y troceadas y cubrimos con agua hasta sobrepasar los ingredientes. Dejamos cocer 15 minutos. Transcurrido este tiempo, añadimos las habas peladas, salamos y dejamos cocer a fuego lento 5 minutos más.
Se sirve el guiso con los huevos cortados en trozos grandes.

HOJALDRE RELLENO

Ingredientes:

- 200 g de queso azul
- 2 huevos duros
- 50 g de piñones tostados
- 300 g de espinacas cocidas
- 500 g de hojaldre descongelado
- 1 huevo para pincelar
- crema de espárragos
- salsa de tomate

Para la bechamel:

- 100 g de mantequilla
- 100 g de harina
- ½ l de leche
- sal y pimienta blanca (opcional)

Elaboración

Preparamos una salsa bechamel, le añadimos el queso y removemos hasta derretirlo. Le incorporamos los huevos pelados y troceados. En una sartén con muy poco aceite salteamos los piñones y los agregamos a la bechamel junto con las espinacas cocidas, exprimidas y picadas.

Es conveniente que esta salsa quede espesa. La dejamos enfriar.

Extendemos el hojaldre con un rodillo, colocamos encima la salsa enfriada y lo enrollamos. Pincelamos con huevo batido y horneamos a 180 grados durante 30 minutos. Retiramos el hojaldre del horno y lo servimos bien caliente.

El acompañamiento ideal para este hojaldre es una crema de espárragos y una salsa de tomate.

LASAÑA DE TOMATE Y ANCHOAS

Ingredientes:

- 1 kg de anchoas fileteadas
- ½ vaso de vinagre de sidra
- 1 vaso de aceite de oliva
- 2 dientes de ajo
- 4 tomates
- 1 cebolla
- sal / harina
- aceite / tomillo

Elaboración:

Marinamos los filetes de anchoa limpios y desalados con el vinagre, el aceite y los dientes de ajo picados durante 8 horas o más, preferentemente desde la víspera. Escaldamos los tomates en agua salada. Los pelamos y les retiramos las semillas. Los cortamos por la mitad y los aplastamos. Freímos la cebolleta previamente cortada en aros y enharinada. Montamos el plato con una base de tomate, colocamos encima los filetes de anchoa con las colas hacia afuera y encima otra capa de tomate. Decoramos con los aros de cebolleta y aliñamos con un poco del líquido de la marinada. Podemos espolvorear con tomillo.

Nota: Aunque la lasaña lleva normalmente láminas de pasta, en esta ocasión las hemos sustituido por láminas de anchoa y tomate, ingredientes muy sanos y llenos de virtudes. No es la típica lasaña italiana, pero está buenísima.

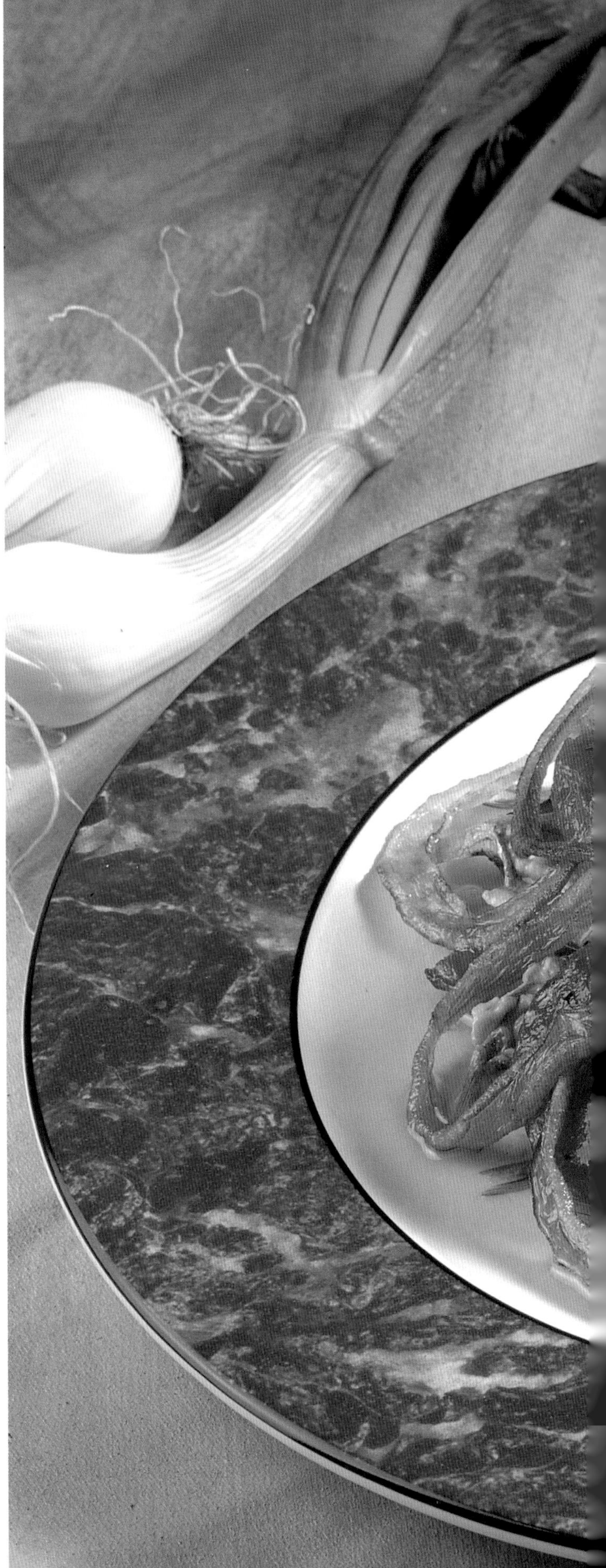

JAMÓN RELLENO DE HABAS Y GUISANTES

Ingredientes:

- ½ kg de habas desgranadas
- ½ kg de guisantes desgranados
- ¼ kg de espinacas
- 12 lonchas de jamón curado
- 1 plato de harina
- 2 huevos
- sal
- aceite
- 1 taza de caldo

Elaboración:

Dejamos hervir las habas y los guisantes en agua salada, los escurrimos y guardamos el caldo. Dejamos cocer aparte las espinacas y las picamos finamente. Extendemos las lonchas de jamón y colocamos encima las habas, los guisantes y las espinacas dentro; los enrollamos a continuación.

Pasamos los rollitos por harina y huevo y los freímos en abundante aceite muy caliente, y los ponemos luego en una fuente.

Quitamos un poco del aceite y añadimos a la sartén 1 cucharada de harina, removemos bien y agregamos el caldo removiendo hasta que la salsa tenga la consistencia deseada.

Rectificamos la sal y salseamos los rollitos antes de servir.

LASAÑA DE ATÚN

Ingredientes:

- 9 láminas de lasaña
- 3 dientes de ajo
- 4 tomates maduros
- 400 g de atún en aceite
- perejil picado
- ½ l de salsa bechamel
- 50 g de queso rallado
- sal
- aceite

Elaboración:

Hervimos la pasta en abundante agua salada con un chorrito de aceite. La refrescamos y reservamos.

Fileteamos los ajos y los doramos en una sartén.

Mientras tanto, pelamos y retiramos las semillas de los tomates, los troceamos y agregamos a la sartén junto con los ajos. Cuando estén bien sofritos, incorporamos el atún desmigajado y el perejil picado.

A continuación, en una fuente refractaria colocamos una capa de pasta, extendemos encima una de la farsa de relleno y de nuevo otra de pasta. Cubrimos todo con la bechamel. Espolvoreamos con el queso y gratinamos. Servimos caliente.

LENTEJAS POSADERAS

Ingredientes:

- 400 g de lentejas
- 1 pimiento verde
- 1 cebolla
- pimienta blanca
- perejil
- 2 yemas de huevo
- un chorrito de vinagre
- aceite

Elaboración

Cocemos las lentejas en agua con un chorrito de aceite, sal y un pimiento verde aproximadamente 1 hora a fuego lento.

En una sartén sofreímos la cebolla picada y salpimentada. Agregamos el sofrito a las lentejas cocidas, las espolvoreamos con el perejil picado y las dejamos cocer 5 minutos más.

Batimos las yemas con un chorrito de vinagre y las incorporamos a la cazuela de las lentejas. Mezclamos bien y dejamos reposar 3 minutos.

Servimos el plato adornado con una ramita de perejil.

MOUSSE DE BERENJENAS

Ingredientes:

- 1 kg de berenjenas
- ½ limón
- 10 huevos
- ½ l de nata
- sal
- pimienta blanca
- perejil picado

Elaboración:

Pelamos las berenjenas, las cortamos y las pasamos por la picadora hasta reducirlas a puré. Añadimos el zumo de limón.
Aparte, batimos los huevos y les añadimos la nata, la sal y la pimienta. Mezclamos bien con el puré de berenjena.
Vertemos la preparación en un molde enmantecado y horneamos al baño maría 40 minutos a 170 grados.
Para servir, volcamos con cuidado el molde en el centro de una fuente. Se puede acompañar la mousse con un puré de verduras si lo desea.

PASTA SALTEADA CON ATÚN

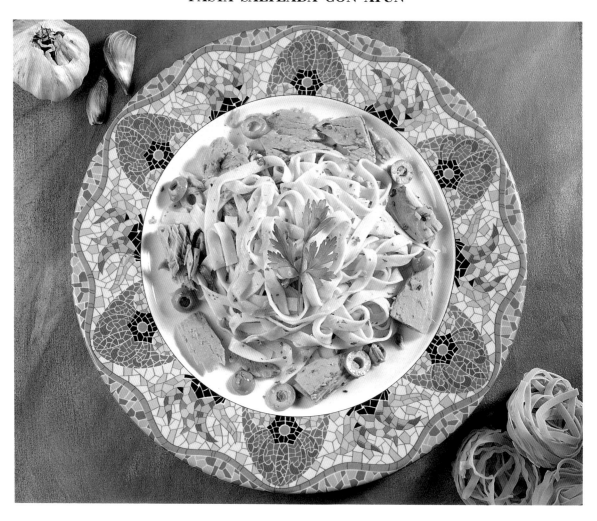

Ingredientes:

- 300 g de tallarines
- 1 hoja de laurel
- 2 dientes de ajo
- 12 aceitunas rellenas
- 200 g de atún en aceite
- perejil picado
- sal
- aceite de oliva

Elaboración:

Hervimos la pasta en abundante agua salada con 2 cucharadas de aceite y la hoja de laurel. La refrescamos cuando esté «al dente». Salteamos la pasta en una sartén con aceite y los dientes de ajo. Añadimos luego las aceitunas picadas y el atún desmigajado. Espolvoreamos con el perejil y servimos enseguida.

PIMIENTOS DEL PIQUILLO RELLENOS DE ATÚN

Ingredientes:

- 2 cebolletas
- 1 pimiento verde
- 2 dientes de ajo
- 1 tomate
- ½ kg de atún en aceite
- ½ l de salsa bechamel
- 12 pimientos del piquillo
- 2 pimientos morrones asados
- sal
- aceite

Elaboración:

Picamos muy finamente las cebolletas, el pimiento verde, los dientes de ajo y el tomate.

Los sofreímos en una cazuela con aceite. Picamos el atún y lo incorporamos a la cazuela, sofreímos unos minutos. Incorporamos la mitad de la bechamel, ligamos bien y dejamos enfriar la preparación. Rellenamos con esta mezcla los pimientos del piquillo.

Aparte pelamos y troceamos los pimientos morrones asados. Los mezclamos con el resto de la bechamel y pasamos por la batidora.

Colocamos los pimientos rellenos en una fuente refractaria, los cubrimos con la salsa de la batidora y horneamos a 160 grados durante 10 minutos.

Adornamos con una ramita de perejil y servimos enseguida.

ROLLITOS DE TEMPORADA

Ingredientes:

Para la pasta:

- 2 tazas de harina
- ¾ taza agua templada
- 1 pizca de sal

Para el relleno:

- 1 cebolla
- 1 tomate
- 300 g de hortalizas de la temporada (tirabeques, col, zanahorias, etc)
- 100 g de carne picada
- 100 g de gambas peladas
- sal
- pimienta
- aceite
- salsa de tomate
- patatas paja

Elaboración:

Para la pasta de los rollitos, mezclamos poco a poco la harina con el agua y la sal. La dejamos reposar 30 minutos en el frigorífico. En una sartén con un poco de aceite, sofreímos la cebolla y el tomate picados. A continuación, añadimos las hortalizas cocidas y picadas. Las salteamos unos minutos y agregamos la carne picada y las gambas también picadas, salpimentamos y dejamos cocer hasta que todo esté en su punto.

Extendemos la pasta con un rodillo hasta casi dejarla transparente. La cortamos en forma de rectángulos y los rellenamos con el contenido de la sartén. Presionamos los rollitos por las esquinas con la ayuda de un tenedor y los freímos en abundante aceite bien caliente. Los escurrimos y servimos enseguida.

Podemos acompañarlos con una salsa de tomate que cubra el fondo de la fuente y patatas paja fritas.

PIMIENTOS VERDES RELLENOS

Ingredientes:

- 4 pimientos verdes medianos
- 1 cebolleta
- 1 tomate
- 200 g de espinacas
- 2 sesos de cordero cocidos
- aceite
- sal
- salsa de tomate

Elaboración:

Horneamos los pimientos con un chorro de aceite por encima y sal. 30 minutos en el horno a 170 grados. Pasado este tiempo los sacamos y pelamos con cuidado. Los reservamos.

En una sartén con aceite salteamos la cebolleta y el tomate pelados sin semillas y picados. Cuando estén bien sofritos, añadimos las espinacas picadas y las dejamos cocer, luego agregamos los sesos cocidos y troceados.

Con esta mezcla rellenamos los pimientos y los horneamos en una placa untada con aceite durante 10 minutos.

Los retiramos y servimos acompañados con salsa de tomate.

REVUELTO DE HABAS CON JAMÓN

Ingredientes:

- 1 kg de habas tiernas desgranadas
- 2 cebolletas
- 2 dientes de ajo
- 50 g de jamón
- 25 g de piñones
- 50 g de pasas
- agua
- aceite

Elaboración:

Cocemos las habas frescas con agua, aceite y sal. Las escurrimos y reservamos.

Picamos las cebolletas y los ajos y los freímos en una sartén con aceite. Añadimos el jamón cortado en tiras, y a continuación los piñones. Rehogamos 3 minutos y agregamos las habas. Por último, incorporamos las pasas y servimos enseguida.

SAN JACOBOS DE ANCHOAS ALBARDADOS

Ingredientes:

- 16 anchoas un poco grandes
- 8 pimientos del piquillo
- aceite
- sal

Pasta para rebozar:

- 4 cucharadas de aceite
- 2 huevos
- ½ vaso de leche templada
- 1 vaso de harina
- 1 sobre de levadura

Elaboración:

Preparamos la pasta para rebozar; mezclamos el aceite con las yemas de huevo, agregamos la leche y la harina y por último incorporamos la levadura. Cuando todo esté bien mezclado, añadimos las claras a punto de nieve mezclando con cuidado y sin batir. Dejando reposar media hora.

Limpiamos las anchoas, las descabezamos y dejamos abiertas sin la espina central.

Para rellenarlas, colocamos ½ pimiento del piquillo entre 2 anchoas, sazonamos y dejamos reposar media hora. Pasamos las anchoas rellenas por la pasta para rebozar y las freímos en abundante aceite caliente. Las escurrimos y servimos enseguida.

TARTA DE TOMATE

Ingredientes:

- 400 g de tomates
- 2 huevos
- ½ vaso de nata espesa
- 90 g de queso rallado
- 200 g de pasta de hojaldre
- 30 g de mantequilla
- sal
- pimienta
- 1 cebolla
- aceite para freír

Elaboración:

Escaldamos los tomates y los dejamos escurrir en un colador.
Batimos los huevos, les añadimos la nata batida, el queso rallado y la mantequilla. Mezclamos bien el relleno de la tarta.
Pelamos, retiramos las semillas y picamos los tomates escaldados.
Extendemos el hojaldre con un rodillo y forramos con él un molde de 23 cm de diámetro, de fondo desmoldable, lo cubrimos con el tomate picado y vertemos encima la crema preparada. Horneamos la tarta a 180 grados de 25 a 35 minutos.
Mientras, cortamos la cebolla en aros finos. Pasamos los aros por harina y los freímos en abundante aceite. Adornamos con ellos la tarta en el momento de servirla.

TORTILLA DE ANCHOAS

Ingredientes:

- ½ kg de anchoas
- 1 diente de ajo
- ½ guindilla
- 6 huevos
- sal
- perejil
- aceite de oliva

Elaboración:

Limpiamos las anchoas bajo el chorro del agua y les quitamos la cabeza y las espinas. En una sartén con un chorrito de aceite freímos el ajo y la guindilla. Salteamos enseguida las anchoas. Batimos los huevos con sal y perejil picado. Los vertemos sobre las anchoas y preparamos una tortilla jugosa. Rica y con fundamento.

TORTILLA DE TOMATE

Ingredientes:

- 4 tomates
- 2 cebolletas
- 1 diente de ajo
- 5 huevos
- ½ sobre de levadura
- 2 rebanadas de pan de molde
- sal
- aceite

Elaboración:

Escaldamos, pelamos y quitamos las semillas a los tomates y los troceamos a continuación.

En una sartén con un poco de aceite sofreímos las cebolletas picadas, los tomates y 1 diente de ajo picado y lo salamos. Cuando todo esté bien sofrito, batimos los huevos con la levadura y los vertemos en la sartén. Dejamos que cuajen. Acompañamos con las rebanadas de pan fritas, cortadas en triángulos.

TALLARINES CON CARNE

Ingredientes:

- 250 g de tallarines
- 2 cebollas
- 1 pimiento verde
- 1 kg de tomates maduros
- 150 g de carne de ternera picada
- 100 g de carne de cerdo picada
- orégano
- aceite
- sal
- pimienta / azúcar

Elaboración:

Cocemos los tallarines en agua salada con un chorrito de aceite. Los escurrimos y reservamos. Picamos las cebollas y el pimiento verde y los sofreímos en una sartén con un poco de aceite. Cuando estén dorados agregamos los tomates escaldados y troceados. Pasados 20 minutos, espolvoreamos con el orégano, la sal y un poco de azúcar para evitar la acidez del tomate.

Dejamos cocer 5 minutos e incorporamos la carne picada, previamente salteada en una sartén con un poco de aceite; la dejamos cocer con la salsa de tomate 5 minutos.

Por último, sazonamos con orégano, mezclamos la salsa con la pasta y servimos el plato.

También podemos acompañar este plato con queso rallado o salsa bechamel.

VOLOVANES CON REVUELTO DE ATÚN

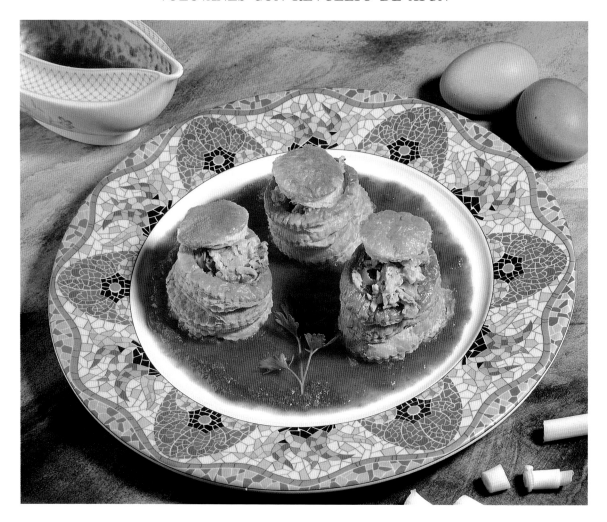

Ingredientes:

- 8 volovanes
- 1 huevo batido para pincelar
- 6 ajos tiernos
- 200 g de atún en aceite
- 4 huevos
- perejil picado
- ½ l de salsa de tomate
- sal
- aceite

Elaboración:

Pincelamos los volovanes con huevo batido y los horneamos durante 20 minutos a 180 grados. Salteamos los ajos tiernos picados y añadimos el atún. Sofreímos el conjunto. Añadimos los huevos batidos con sal y perejil picado. Los dejamos cuajar.
Cuando los hojaldres estén horneados, les cortamos la boina y los rellenamos con el revuelto de ajos, huevo y atún. Cubrimos los volovanes con la tapa y los acompañamos con salsa de tomate.

PESCADOS

ALBÓNDIGAS DE ATÚN

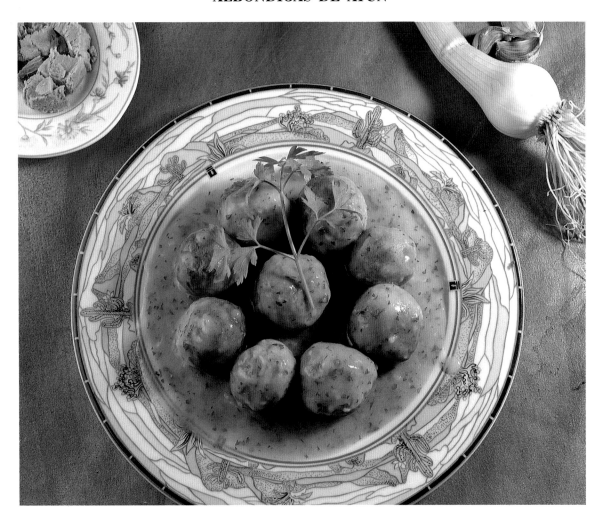

Ingredientes:

- 4 latas pequeñas de atún
- 200 g de queso rallado
- 2 cebolletas
- 2 dientes de ajo
- perejil picado
- tomillo
- 200 g de miga de pan remojada en leche
- harina
- 2 tazas de caldo de pescado
- sal
- aceite para freír

Elaboración:

Mezclamos el atún en una picadora o batidora con el queso, 1 cebolleta, 1 ajo, perejil y tomillo. Después agregamos a la masa el pan, la sal y la pimienta blanca. Formamos albóndigas, las pasamos por harina y las freímos en aceite.

Aparte, en una cazuela con aceite, doramos el ajo y la cebolleta restantes picados. Luego agregamos 2 cucharadas de harina y el caldo de pescado.

Mezclamos bien y dejamos que la salsa espese. Entonces le incorporamos las albóndigas, las espolvoreamos con perejil y las dejamos 10 minutos más al fuego antes de servir.

ALMEJAS AL HORNO

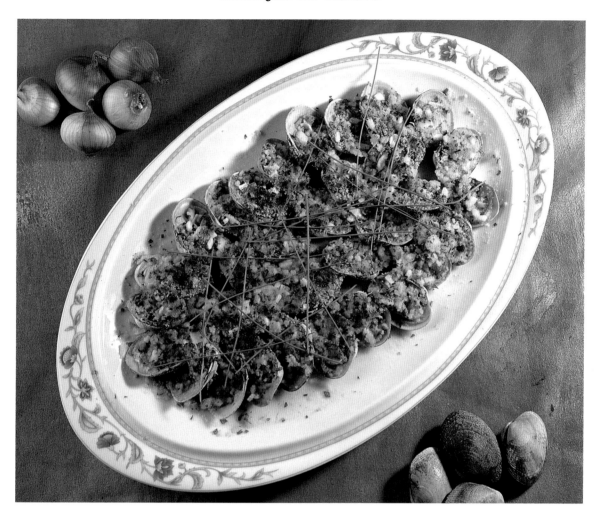

Ingredientes:

- 2 dientes de ajo
- 1 cebolleta
- perejil
- ½ manojo de cebollino
- 3 cucharadas de pan rallado
- 40 almejas
- aceite de oliva virgen
- sal

Elaboración:

Mezclamos los dientes de ajo, la cebolleta, el perejil y la mitad del cebollino finamente picados con el pan rallado y la sal. Ligamos esta mezcla con aceite hasta conseguir una salsa provenzal. En una cacerola con un poco de agua, dejamos abrir las almejas al calor. Guardamos el líquido que suelten y colocamos las almejas en una fuente de horno. Repartimos sobre cada almeja un poco de la salsa provenzal y gratinamos de 3 a 5 minutos.
Calentamos el líquido de cocción de las almejas y lo vertemos sobre las mismas antes de servir.
Decoramos las almejas con un poco de cebollino.

ATÚN ASADO

Ingredientes:

- 2 tomates
- 2 cebolletas
- 2 pimientos verdes
- 3 dientes de ajo
- aceite de oliva
- 2 rodajas de atún de 400 g cada una
- 1 vaso de txakolí o vino seco
- agua o caldo de pescado
- ¼ l de salsa de tomate

Elaboración:

Cortamos las verduras (tomates, cebolletas y pimientos) en juliana y las sofreímos con los dientes de ajo y aceite de oliva. Salamos. En una sartén con aceite, doramos el atún salado y sin la piel, vuelta y vuelta, a fuego fuerte.

Colocamos la mitad de las verduras sofritas en el fondo de una fuente refractaria y sobre ésta el atún. Colocamos encima el resto de las verduras y bañamos con el txakolí. Horneamos a 180 grados de 15 a 20 minutos, dependiendo del grosor del atún. Lo mojamos con un poco de agua o caldo de pescado si fuese necesario. Sacamos el atún del horno y lo acompañamos con las verduras y la salsa de tomate.

ATÚN EN FRITADA

Ingredientes:

- 5 cebolletas
- 2 tomates
- 2 pimientos verdes
- 1 pimiento rojo o morrón
- 3 dientes de ajo
- ½ guindilla
- ¼ l de salsa de tomate
- 800 g de atún en conserva al natural
- 1 patata grande frita
- perejil picado
- sal
- aceite de oliva

Elaboración:

Preparamos y cortamos en juliana las cebolletas, los tomates, los pimientos y los ajos.

Los sofreímos en una cazuela ancha con un chorro de aceite a fuego lento, salamos y agregamos la guindilla.

Cuando todo esté bien sofrito, agregamos la salsa de tomate y cuando ésta comience a hervir, echamos el atún en pedazos gruesos, rectificamos la sal y dejamos cocer 5 minutos. Añadimos la patata frita troceada, espolvoreamos con perejil picado y servimos enseguida.

BACALAO CON SALSA HOLANDESA

Ingredientes:

- 1 kg de bacalao en trozos, desalado
- agua o leche
- sal
- 4 tomates
- cebollino picado

Salsa holandesa:

- ½ kg de mantequilla
- 5 yemas de huevo
- zumo de 1 limón
- sal

Elaboración:

Ponemos el agua o leche a hervir. Escalfamos el bacalao por debajo del punto de ebullición. Lo escurrimos y separamos en láminas sin espinas ni piel y lo reservamos.

Para la salsa, ponemos las yemas en un cuenco. Derretimos la mantequilla en un cazo sin que llegue a hervir. Agregamos el zumo de limón a las yemas y salamos. Con una batidora de varillas las batimos muy bien para montarlas. Añadimos sin dejar de batir la mantequilla muy poco a poco, sin coger el suero que quedará en el fondo del cazo. Rectificamos la sal a la holandesa ya lista.

Aparte, quitamos el corazón de los tomates y los cortamos a lonchas finas, que colocaremos en el fondo de la fuente; salamos, ponemos encima los gajos del bacalao, cubrimos con la holandesa y gratinamos a 180 grados durante 5 minutos.

Antes de servir adornamos con el cebollino picado.

BACALAO A LA LLAUNA

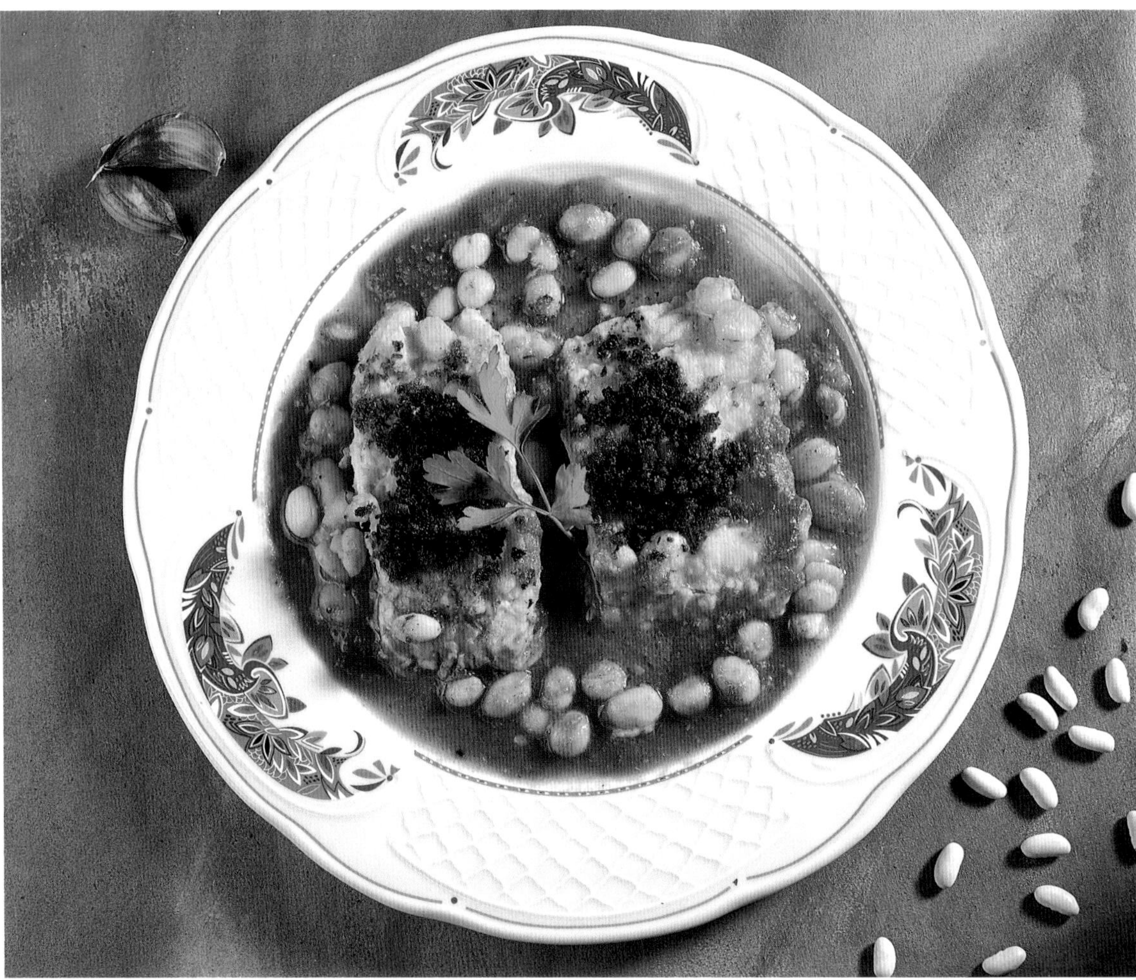

Ingredientes:

- 1 kg de lomos de bacalao desalados
- harina
- 2 huevos
- 1 cabeza de ajos
- 2 dl de aceite de oliva
- ¼ l de salsa de tomate
- 1 pimiento choricero
- ¼ l de caldo de pescado
- 500 g de alubias blancas cocidas con 1 puerro, 1 zanahoria y 1 cebolla
- 1 rebanada de pan frito
- perejil picado

Elaboración:

Una vez desalado el bacalao lo pasamos por harina y huevo y lo freímos ligeramente en una sartén donde habremos puesto 1 diente de ajo entero y aplastado. Lo ponemos en una cazuela sobre la salsa de tomate.

En un poco de aceite donde habremos frito el bacalao, freímos el resto de los ajos, también enteros y aplastados. Añadimos la carne del pimiento choricero y el caldo de pescado. Llevamos a ebullición y colamos. Después, agregamos este líquido a la cazuela con el bacalao. Ponemos alrededor las alubias cocidas y esparcimos sobre el bacalao el pan frito machacado con el perejil. Horneamos a 180 grados de 5 a 10 minutos aproximadamente, hasta que la preparación esté bien caliente.

BACALAO CON MIGAS

Ingredientes:

- 6 dientes de ajo
- ¼ de guindilla
- 80 g de migas de pan duro
- 800 g de bacalao desalado desmigajado
- perejil picado
- agua
- 4 tomates
- sal
- aceite

Elaboración:

En una sartén con un chorro de aceite doramos el ajo y la guindilla picados. Añadimos las migas mezclando bien para que no se agarren. Cuando se doren, incorporamos el bacalao desmigajado, lo sofreímos un poco y agregamos el perejil picado y un poco de agua. Dejamos al fuego hasta que el agua se evapore. Cortamos los tomates en rodajas finas y las colocamos en los platos en forma de arco. Disponemos en el centro el bacalao y servimos enseguida.

BACALAO CON TOMATE

Ingredientes:

- 1 l de salsa de tomate
- ½ guindilla
- 1 kg de bacalao desalado troceado
- ½ kg de pimientos morrones, asados y pelados
- perejil

Elaboración:

Colocamos en una cazuela la salsa de tomate con la guindilla y la calentamos a fuego lento. Cuando empiece a hervir, colocamos los trozos de bacalao con la piel hacia abajo.

Dejamos cocer de 10 a 15 minutos (dependerá del grosor de las tajadas) a fuego lento. Transcurrido este tiempo, añadimos los pimientos cortados en tiras y proseguimos la cocción otros 3 minutos. Se sirve bien caliente, adornando el plato con perejil.

BACALAO FRESCO CON CHAMPIÑONES

Ingredientes:

- 3 dientes de ajo
- 1 cebolleta
- unas hebras de azafrán
- aceite de oliva
- 150 g de champiñones
- 1 patata nueva grande
- 4 rodajas de bacalao fresco de 200 g
- sal
- perejil picado

Elaboración:

Ponemos a sofreír en una cazuela ancha con aceite el ajo y la cebolleta picados y unas hebras de azafrán. Cuando empiecen a dorarse, añadimos los champiñones fileteados y la patata en rodajas finas sofriéndolos. Cubrimos con el caldo y dejamos cocer de 15 a 20 minutos. No importa que las patatas se rompan, pues así espesarán la salsa y no será necesario utilizar harina.
Añadimos el bacalao sazonado al recipiente, le damos la vuelta a los 3 minutos y vertemos algo más de caldo si fuese necesario. Rectificamos la sal y espolvoreamos con un poco de perejil.

CONGRIO CON ALMEJAS

Ingredientes:

- ½ kg de patatas
- 4 dientes de ajo
- 400 g de almejas
- 1 kg de congrio
- 1 guindilla
- perejil
- sal
- pimienta
- aceite

Elaboración:

Cortamos las patatas peladas en rodajas de ½ cm de grosor y las sofreímos en una cazuela con aceite y los ajos fileteados.

Aparte, ponemos al fuego un cazo con un poco de agua y las almejas limpias para que se abran. Vertemos el caldo tamizado a las patatas y si fuese necesario un poquito más de agua. Las dejamos cocer 20 minutos o hasta que estén cocidas.

En una sartén con aceite freímos el congrio en rodajas y sazonado. Cuando lo tengamos dorado, lo incorporamos a la cazuela con las patatas, añadimos también las almejas sin las valvas y la guindilla troceada. Dejamos cocer otros 5 minutos, espolvoreamos con perejil picado y servimos enseguida.

CROQUETAS DE ATÚN

Ingredientes:

- 1 cebolla
- 1 pimiento verde
- 150 g de mantequilla o margarina
- ½ kg de atún en conserva
- 150 g de harina
- 1 l de leche
- 1 plato de harina
- 3 huevos batidos
- 1 plato de pan rallado
- sal
- aceite
- 8 pimientos del piquillo
- 4 tomates pequeños

Elaboración:

Picamos muy finamente la cebolla y el pimiento verde y los sofreímos en una sartén con la mantequilla o margarina, a fuego muy suave. Añadimos el atún desmigajado y la harina y mezclamos bien para que no se hagan grumos. Echamos la leche hervida y bien caliente y removemos a fuego suave unos 15 minutos. Rectificamos la sal.

Dejamos enfriar la preparación y formamos con ella las croquetas. Las pasamos por harina, huevo y pan rallado y las freímos en aceite caliente.

Las colocamos en una fuente acompañándolas con los pimientos del piquillo fritos y los tomates asados.

FILETES DE GALLO AL VAPOR CON CREMA DE GUISANTES

Ingredientes:

- 300 g de guisantes desgranados
- 1 cucharada de mantequilla o aceite
- 1 puerro
- 5 granos de pimienta negra
- 16 filetes de gallo
- sal
- pimienta

Elaboración:

Preparamos la crema de guisantes poniéndolos a hervir en agua salada. Los trituramos y pasamos por el chino, añadiéndoles después la mantequilla o un chorro de aceite.

Ponemos un poco de agua en el recipiente inferior de la vaporera con el puerro en juliana y los granos de pimienta negra. Salpimentamos los filetes y los colocamos sobre la parte superior de la vaporera. Los dejamos cocer 8 minutos y los sacamos. Colocamos los filetes de gallo sobre la crema de guisantes dispuesta en el fondo de los platos.

Vertemos un chorrito de aceite de oliva sobre el pescado, antes de servirlo.

CHIPIRONES CON HABAS

Ingredientes:

- 3 dientes de ajo
- 1 cebolla o cebolleta
- 1 tomate pelado
- 750 g de chipirones
- 500 g de habas desgranadas
- 1 limón
- sal
- aceite

Elaboración:

Vertemos un chorro de aceite en una cazuela y sofreímos las hortalizas finamente picadas. Les añadimos los chipirones troceados y sazonados. Doramos, agregamos las habas y cubrimos con agua caliente.

Dejamos cocer hasta que los ingredientes estén blandos y el guiso casi no tenga agua. Servimos enseguida y adornamos con el limón.

EMPANADA DE BACALAO Y PASAS

Ingredientes:

Para la pasta:

- 300 g de harina
- 100 g de manteca o mantequilla
- 1 huevo
- 1 dl mitad de agua y mitad de vino blanco
- levadura y sal

Para el relleno:

- 2 cebollas o cebolletas
- 500 g de tomate pelado
- 4 pimientos morrones
- 500 g de bacalao
- 100 g de pasas
- pimienta y sal
- 1 huevo para pincelar

Elaboración:

Amasamos los ingredientes de la pasta y formamos con ella una bola; dejándola reposar en un sitio frío 30 minutos.
Para el relleno sofreír en una cazuela con el aceite las cebollas y los tomates pelados y picados, añadimos luego los pimientos en tiras, el bacalao desmigajado y desalado, las pasas remojadas y escurridas y salamos. Cuando todo esté bien sofrito retiramos del fuego y reservamos. Si se quiere, podemos sazonar con pimienta.
Extendemos la pasta con un rodillo dándole ½ cm de grosor aproximadamente y la cortamos en dos rectángulos, uno de ellos algo más grande que el otro. Colocamos sobre un papel de hornear el rectángulo más grande y sobre él, el relleno. Tapamos con el otro rectángulo y pincelamos los bordes de la pasta con huevo batido para que se peguen. Pinchamos la superficie de la pasta y practicamos un agujero o chimenea, y pincelamos todo con el huevo batido. Horneamos 45 minutos a 180 grados. Podemos servirla fría o caliente.

FILETES DE FANECA AL LIMÓN

Ingredientes:

- 4 fanecas fileteadas
- 1 vaso de leche
- 1 plato de harina
- zumo de 1 limón
- 30 g de mantequilla o margarina
- perejil picado
- aceite
- sal
- pimienta

Elaboración:

Remojamos los filetes de faneca salpimentados en leche durante 15 minutos. Después los pasamos por harina y los freímos en aceite. Ponemos en una fuente los filetes escurridos y los rociamos con el zumo de limón.

Calentamos la mantequilla con un poco de aceite y espolvoreamos con el perejil. Rociamos con ello los filetes de pescado y los servimos enseguida.

FILETES DE PESCADILLA RELLENOS

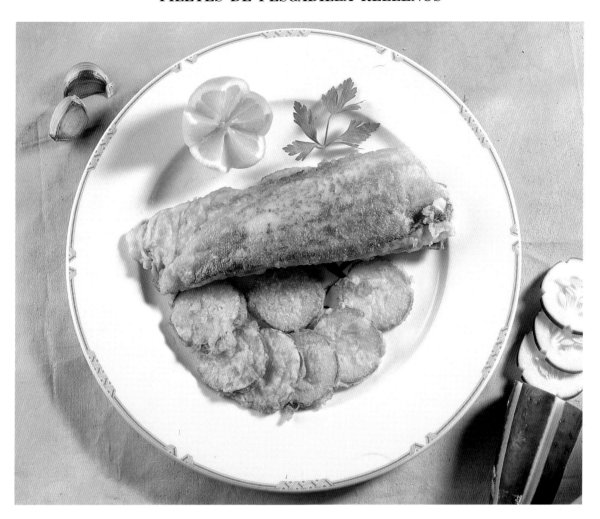

Ingredientes:

- 1 pescadilla fileteada
- ½ l de leche
- 4 lonchas de queso para fundir
- 4 lonchas de jamón cocido
- sal
- harina
- huevo
- aceite para freír
- 1 pepino
- 1 limón

Elaboración:

Remojamos los filetes en leche, unos 15 minutos. Los sacamos, escurrimos y sazonamos. Sobre un filete de pescadilla, colocamos una loncha de queso, una de jamón y encima otro filete de pescado. Rebozamos los filetes en harina y huevo y los freímos en abundante aceite caliente, y reservamos.

Cortamos el pepino a rodajas y lo rebozamos y freímos como el pescado. Las escurrimos y colocamos adornando el pescado. También decoramos con el limón.

GALLOS A LA MOSTAZA

Ingredientes:

- 4 gallos
- harina
- sal / aceite

Para la salsa:

- 1 cebolleta
- 10 champiñones
- 6 colas de langostinos
- 1 copa de brandy
- 1 copa de vino blanco
- 1 vaso de caldo de pescado
- 1 cucharada de mostaza suave
- aceite / sal
- fécula o harina de maíz
- perejil picado

Elaboración:

Cocemos a la plancha los gallos limpios y sin cabeza si fuesen grandes, o en el caso contrario los freímos en una sartén. Para freírlos, los pasamos primero por harina y los sazonamos. Los cocemos 2 ó 3 minutos por cada lado.

Para la salsa, picamos finamente la cebolleta y la ponemos a sofreír con aceite en una cazuela. Añadimos los champiñones limpios y fileteados y dejamos sofreír unos minutos. Luego agregamos los langostinos troceados, sazonamos y los freímos.

Flambeamos con el brandy, añadimos el vino blanco, el caldo y la mostaza y dejamos reducir hasta que la salsa esté espesa y nape una cuchara. Si no es así, espesamos la salsa con fécula de patata o harina de maíz desleída en agua fría. Rectificamos la sal y añadimos perejil picado. Salseamos los gallos y los servimos en una fuente.

HOJALDRE DE SALMÓN

Ingredientes:

- 1 cebolleta
- 1 tomate
- 500 g de salmón sin piel ni espinas
- 100 g de gambas
- ¼ l de salsa bechamel
- 500 g de pasta de hojaldre
- 1 huevo
- sal
- pimienta
- aceite
- salsa de tomate

Elaboración

En una sartén con un chorro de aceite sofreímos la cebolleta y el tomate picados. Pasados 10 minutos, añadimos el salmón troceado y las gambas enteras peladas, salpimentamos y dejamos sofreír unos minutos. Agregamos la bechamel, mezclamos bien y retiramos la preparación del fuego.

Aparte, extendemos el hojaldre con un rodillo y forramos con él un molde desmontable. Lo rellenamos con la mezcla o farsa y la cubrimos con una lámina de hojaldre como si se tratase de una empanada. Pincelamos la superficie con el huevo batido y horneamos a 180 grados durante 30 minutos.

Desmoldamos el hojaldre con cuidado para no quemarnos y acompañamos con una salsa de tomate.

LANGOSTINOS AL HORNO

Ingredientes:

- 24 langostinos congelados
- 3 ajos picados
- ½ guindilla
- 1 vaso de aceite
- 1 copa de brandy
- perejil picado
- sal y pimienta
- 1 limón

Elaboración:

Descongelamos los langostinos por completo, los cortamos por la mitad a lo largo y los colocamos en una fuente refractaria con el caparazón hacia abajo. Los sazonamos y regamos con una salsa que habremos hecho anteriormente mezclando los ajos picados, la guindilla también picada y el aceite.

Los horneamos a 125 grados durante 10 minutos y los sacamos. Rociamos los langostinos con el jugo que han soltado al asarse en el horno.

Fuera del horno, los flameamos con el brandy y los espolvoreamos con perejil picado. Se sirven enseguida acompañados con el limón.

LUBINA A LA MARINERA

Ingredientes:

- 1 kg de lubina limpia
- 1 manojo de hinojo
- 4 tomates
- caldo o agua
- 2 dientes de ajo
- 1 guindilla
- perejil picado
- aceite de oliva
- sal
- vinagre

Elaboración:

Salamos la lubina por dentro y por fuera y la ponemos sobre una placa de horno. Rellenamos su interior con un manojo de hinojo. Colocamos los tomates enteros y limpios sobre la placa. Vertemos un chorro de aceite por encima de la lubina y de los tomates y metemos la placa en el horno caliente a 180 grados durante 30 minutos.

Mientras se hornea, debemos observar que el pescado no se seque. Si se secara, le agregaremos caldo o agua.

Para servir, abrimos el pescado por la mitad y lo rociamos con un refrito a base de aceite, ajo, guindilla y perejil picados y, si se quiere, un chorrito de vinagre.

LENGUADO REBOZADO

Ingredientes:

- 4 lenguados
- harina
- levadura
- 2 huevos
- sal
- pimienta blanca
- aceite
- 2 chalotas o 1 cebolleta
- 12 patatas torneadas cocidas
- perejil picado
- 1 limón

Elaboración:

Limpiamos los lenguados y los fileteamos. Los salpimentamos y pasamos por harina mezclada con un poco de levadura y después por los huevos batidos.

En una sartén con un poco de aceite sofreímos las chalotas o cebolla picada y añadimos a continuación el pescado rebozado; dejamos que se dore por ambos lados.

Salteamos las patatas en un poco de aceite y las espolvoreamos con el perejil.

Servimos el lenguado acompañado con el limón y las patatas torneadas.

MERO AL VINO BLANCO

Ingredientes:

- 4 rodajas de mero de 200 g cada una
- 1 puerro
- 1 tomate
- 1 cebolla
- 4 chalotas o cebolletas
- 1 vaso de vino blanco
- 1 vaso de nata líquida
- 1 vaso de caldo de pescado
- aceite
- sal

Elaboración:

Preparamos un caldo de pescado con la cabeza del mero y unas verduras.

Salamos el mero. Picamos las chalotas o cebolletas y las sofreímos en un poco de aceite. Añadimos el vino blanco, lo dejamos reducir y después incorporamos la nata y el caldo, dejamos que la salsa se reduzca hasta que se espese al gusto y rectificamos la sal.

Cocemos el mero a la plancha o a la parrilla con un chorrito de aceite unos 4 minutos por lado, vertemos la salsa en los platos y ponemos encima las rodajas de mero.

PESCADILLA CON PISTO

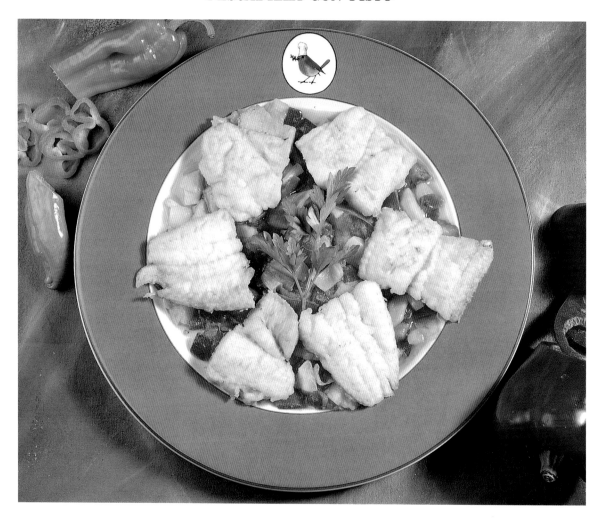

Ingredientes:

- 1 pescadilla de 1½ kg, aproximadamente, fileteada
- sal
- 1 plato de harina
- 1 sobre de levadura
- aceite para freír

Para el pisto:

- 1 cebolla
- 1 pimiento morrón
- 1 pimiento verde
- 2 calabacines
- 2 tomates
- 2 dientes de ajo
- aceite
- sal

Elaboración:

Ponemos todas las hortalizas del pisto peladas y troceadas en una cazuela con aceite, y las dejamos sofreír a fuego no muy fuerte. Salamos.

Lavamos los filetes de pescado y los secamos. Los salamos y pasamos por la harina mezclada con la levadura. Los freímos en una sartén con el aceite caliente.

Cuando el pisto esté bien sofrito, lo ponemos en un plato y colocamos encima el pescado frito.

RAPE RELLENO DE GAMBAS

Ingredientes:

- 1,5 dl de salsa bechamel
- 100 g de gambas
- 8 rodajas de rape finas
- harina
- huevo
- pan rallado
- 2 dientes de ajo
- aceite para freír
- sal
- pimienta

Elaboración:

Mezclamos la bechamel con las gambas peladas, troceadas, sofritas y saladas.

Aparte, aplastamos finamente las lonchas de rape y salpimentamos. Cuando la bechamel esté fría, rellenamos con ella un filete de rape y lo cubrimos con otro. Después, los pasamos con cuidado por harina, huevo y pan rallado y los freímos a fuego moderado en aceite caliente, donde previamente habremos dorado ligeramente los dientes de ajo.

Para acompañar este plato, podemos preparar una crema de marisco con las cabezas y los caparazones de las gambas y unas verduras. Tamizamos luego esta crema.

RAYA A LA SIDRA

Ingredientes:

- 1 cebolla
- 2 patatas
- 1 kg de raya troceada
- ½ vaso de sidra
- sal
- pimienta
- aceite
- perejil picado

Elaboración:

Vertemos en una cazuela un chorro de aceite, agregamos la cebolla picada y lo sofreímos. A continuación, incorporamos las patatas cortadas a lonchas de ½ cm. Transcurrido un cuarto de hora, agregamos la raya troceada y salpimentada y la sidra. La dejamos cocer 3 minutos por lado, salamos y movemos de vez en cuando el recipiente para que el guiso no se pegue. Lo espolvoreamos con perejil picado y servimos.

RODABALLO A LA GALLEGA

Ingredientes:

- 1 cebolla o cebolleta
- 3 zanahorias / 1 puerro
- 1 manojo de laurel y romero
- 10 g de pimienta negra
- ¼ l de vino blanco y agua
- sal / pimienta
- 1 rodaballo de 2 kg fileteado
- yemas de espárrago (opcional)

Para la salsa gallega:

- ¼ l de aceite de oliva
- 1 cebolla / 6 dientes de ajo
- 1 hoja de laurel
- 1 cucharada de pimentón
- el zumo de ½ limón

Elaboración:

Preparamos un caldo con las verduras, el manojo de hierbas aromáticas, las especias, el vino blanco y el agua. Retiramos las verduras y colamos el caldo.
Salpimentamos los filetes de rodaballo y los escalfamos en el caldo corto anterior de 5 a 10 minutos, por debajo del punto de ebullición.
Para la salsa, sofreímos en el aceite la cebolla cortada en aros, el ajo a láminas y el laurel. Sazonamos y cocemos a fuego lento, retiramos luego el recipiente del fuego. Añadimos el pimentón, el zumo de limón y 2 cucharadas del caldo corto de verduras anteriormente preparado.
Hervimos y colamos la salsa.
Salseamos con ello el rodaballo. Se puede acompañar con unas yemas de espárragos.

RAYA CON SALSA DE CEBOLLA

Ingredientes:

- 4 cebollas
- 1 diente de ajo
- unas hebras de azafrán
- 1 l de agua
- ½ vaso de agua
- 1 kg de raya limpia y troceada
- 1 cucharada de pan rallado
- perejil picado
- sal

Elaboración:

Ponemos las cebollas y el ajo picados y unas hebras de azafrán en una cazuela con aceite y sal a fuego muy suave. Cuando todo esté bien sofrito, lo pasamos por el pasapuré y lo reservamos. Ponemos el agua salada con el vinagre a hervir, le añadimos la raya troceada y la dejamos escalfar 20 minutos a fuego muy suave. Escurrimos la raya y la colocamos en una placa de horno, la cubrimos con el puré de cebolla y la espolvoreamos con el pan rallado y el perejil. Horneamos a 200 grados durante 10 minutos. Retiramos del horno y servimos bien caliente.

RODAJAS DE RAPE AL HORNO

Ingredientes:

- 2 cebolletas
- 250 g de champiñones
- 4 rodajas de rape limpias
- sal
- 1 vaso de vino blanco
- aceite
- 1 cucharada de pan rallado
- perejil picado

Elaboración:

Pelamos y picamos finamente las cebolletas. Lavamos y fileteamos los champiñones.

Cubrimos el fondo de una fuente de horno con la mitad de las cebolletas y los champiñones. Colocamos encima el rape sazonado y cubrimos con el resto de cebolletas y champiñones. Agregamos el vino, un chorro de aceite y espolvoreamos con pan rallado y perejil. Horneamos a 170 grados durante 30 minutos.

Para servir, ponemos el rape en una fuente y lo salseamos con su fondo de cocción.

SALMÓN AL HORNO A LA ASTURIANA

Ingredientes:

- 1 salmón de 1,5 kg
- 200 g de mantequilla o margarina
- 3 limones
- ¼ l de caldo de pescado
- 200 g de patatas torneadas
- 200 g de zanahorias torneadas
- 2 cucharadas de perejil picado
- sal
- pimienta

Elaboración:

Limpiamos el salmón de tripas, lo pasamos por agua, secamos, cortamos a rodajas y salpimentamos.
En una fuente de horno colocamos unos trocitos de mantequilla, disponemos encima el salmón y sobre él unos trocitos más de mantequilla, el zumo de ½ limón y el caldo de pescado.
Horneamos a 180 grados de 6 a 8 minutos, dependiendo del grosor de las rodajas y lo rociamos de vez en cuando con su jugo.
Aparte y para acompañar, dejamos cocer las patatas y las zanahorias, las salteamos con un poco de mantequilla y las espolvoreamos con perejil picado.
Decoramos el salmón con las patatas, las zanahorias y los limones.

SALMONETES CON TOMATE

Ingredientes:

- 4 tomates
- 6 salmonetes
- sal
- pimienta
- 1 vaso de vino blanco
- 2 dientes de ajo
- 2 cucharadas de pan rallado
- 1 cucharada de perejil
- 1 cucharada de albahaca
- aceite

Elaboración:

Ponemos en una fuente refractaria los tomates pelados, sin semillas y a dados y los salamos. Colocamos los salmonetes limpios, secos y sazonados sobre la cama de tomates y los rociamos con el vino blanco.

Picamos los ajos y los mezclamos con el pan rallado, el perejil picado y la albahaca. Con esta mezcla espolvoreamos los salmonetes. Vertemos por encima un chorro de aceite de oliva y los horneamos de 10 a 15 minutos a 180 grados. Los retiramos del horno y mojamos los salmonetes con sus propios jugos.

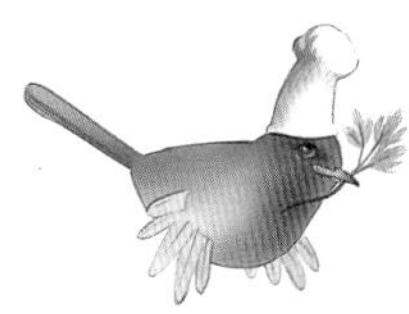

SUPREMAS DE PESCADO CON SALSA DE PUERROS

Ingredientes:

- 4 filetes de rodaballo de 200 g cada uno
- 90 g de mantequilla
- 1 cebolleta
- 1 vaso de caldo de pescado
- 4 puerros
- fécula
- sal
- pimienta
- 1 copa de cava
- aceite
- perejil picado

Elaboración:

Picamos muy fina la cebolleta. Cortamos en rodajas finas sólo lo blanco de los puerros; guardamos el resto para hacer un caldo en otra ocasión.

Pochamos en una sartén cebolleta y puerros. Cuando estén un poco doraditos, añadimos el cava y esperamos que reduzcan un poco. Agregamos el caldo de pescado y cuando empiece a hervir, dejamos reducir 3 minutos y ligamos con fécula. Ponemos a punto de sal y reservamos.

Salpimentamos los filetes de pescado y los freímos en una sartén con un poco de aceite. Los freímos primero por el lado que no tiene piel y antes de sacarlos de la sartén, los espolvoreamos con perejil picado.

Servimos la salsa en el fondo del plato y los filetes de rodaballo encima.

TRUCHAS A LA NARANJA

Ingredientes:

- 4 truchas
- 2 dientes de ajo
- 100 g de pan rallado
- 100 g de almendras fileteadas
- el zumo de 2 naranjas
- aceite
- sal
- pimienta

Elaboración:

Rociamos el fondo de la placa del horno con un chorro de aceite. Colocamos las truchas limpias y salpimentadas sobre la placa. Picamos muy finos los dientes de ajo y los esparcimos sobre las truchas. A continuación, las espolvoreamos con el pan rallado y las almendras fileteadas. Seguidamente, las rociamos con el zumo de naranja y, por último, con un chorrito de aceite.
Horneamos a 170 grados de 15 a 20 minutos. Servimos las truchas con los propios jugos que han soltado en la placa.
Como adorno queda perfecto una naranja cortada en zigzag o de otra bonita forma.

CARNES Y AVES

ALBÓNDIGAS EN SALSA

Ingredientes:

- 1 kg de carne picada
- 1 diente de ajo
- 2 cebollas o cebolletas
- 2 huevos
- 4 cucharadas de pan rallado
- 2 cucharadas de leche
- sal, harina y aceite

Para la salsa:

- ½ kg de cebollas
- 1 zanahoria
- 2 ajos
- 2 tomates
- 1 cucharada de harina
- 1 vaso de vino blanco
- aceite

Elaboración:

Picamos el ajo y las cebollas y los mezclamos con la carne picada, los huevos, el pan rallado, la leche y salamos. Damos a esta masa forma de bolas con la mano, las pasamos por harina y freímos en aceite. Las sacamos y reservamos.

Para la salsa, troceamos todas las verduras y las sofreímos en una cazuela con un poco de aceite hasta que tomen color. Sazonamos. Añadimos la harina removiendo y vertemos después el vino y, si hiciera falta, un poco de caldo. Dejamos cocer de 15 a 30 minutos a fuego lento. Pasamos la salsa por el pasapurés y agregamos a ésta las albóndigas. Las calentamos a fuego suave unos 15 minutos aproximadamente y las servimos.

BROQUETAS DE CHAMPIÑONES Y POLLO

Ingredientes:

- 12 champiñones
- 8 lonchas de bacon
- 2 pechugas de pollo
- sal
- pimienta
- aceite de oliva
- 4 pimientos verdes

Elaboración:

Montamos las broquetas intercalando en ellas los champiñones ya limpios, las lonchas de bacon y la pechuga de pollo cortada a dados. Salpimentamos las broquetas y las asamos a la plancha con un chorrito de aceite, dándoles la vuelta cada 3 minutos aproximadamente.

Para servir, acompañamos las broquetas con tiras de pimiento verde frito.

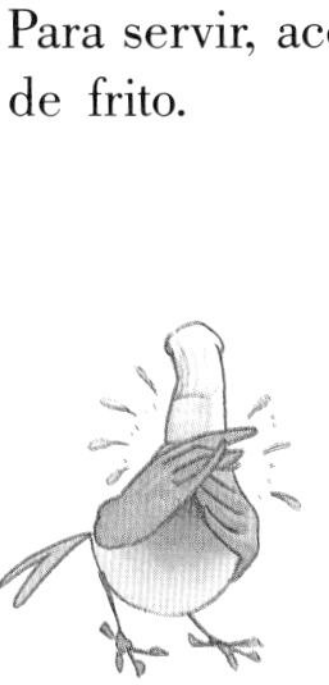

CALDERILLO DE BÉJAR

Ingredientes:

- 1 cebolla
- 1 zanahoria
- 2 tomates
- 1 pimiento
- 1 kg de aguja o morcillo de vacuno
- sal
- pimienta
- aceite
- vinagre
- ½ guindilla
- ½ cabeza de ajos
- 3 patatas
- perejil picado

Elaboración:

Picamos la cebolla, la zanahoria, los tomates con piel y el pimiento. Troceamos la carne para el estofado.

Ponemos en el fondo de una cazuela todas las verduras y sobre ellas la carne. Sazonamos y añadimos un chorro de aceite y vinagre (un poco más de vinagre que de aceite). Añadimos también la guindilla y los ajos enteros y sin pelar y un poco de agua. Dejamos cocer a fuego lento unos 45 minutos aproximadamente con la cazuela tapada.

Freímos las patatas peladas y troceadas con las manos en una sartén con aceite.

Cuando la carne esté casi cocida, la probamos. Debe tener un ligero sabor ácido y picante.

Le añadimos las patatas fritas y el perejil picado y proseguimos la cocción unos 5 minutos.

Servimos bien caliente.

CARAJACA

Ingredientes:

- 750 g de hígado de vacuno
- 4 dientes de ajo
- sal y pimienta
- 1 cucharada de orégano
- 1 dl de aceite
- puré de patatas

Para el mojo rojo:

- 1 cabeza de ajos
- ½ guindilla
- ½ cucharada de cominos
- 1 cucharada de pimentón picante
- 1 taza de aceite de oliva
- 2 cucharadas de vinagre
- agua y sal

Elaboración:

Para el mojo rojo majamos en un mortero los ajos, la guindilla remojada, los cominos y el pimentón. Añadimos luego el aceite, el vinagre, un chorrito de agua y majamos hasta ligar bien. Salamos. Limpiamos el hígado, lo cortamos en tiras y luego en dados. Los colocamos en un cuenco y salpimentamos.

Majamos los ajos con sal, añadimos el orégano y el aceite. Untamos el hígado con este majado y lo dejamos reposar varias horas. Lo sacamos y pasamos por la sartén con un poco de aceite. Lo acompañamos con el mojo rojo y un puré de patatas.

CARRILLERAS CON SALSA DE QUESO

Ingredientes:

- 3 carrilleras de ternera
- 1 cebolla
- 1 puerro
- 1 tomate
- 100 g de queso roquefort
- 1 vaso de nata líquida
- 250 g de zanahorias
- aceite
- sal
- perejil picado

Elaboración:

Limpiamos de nervios y otros tejidos las carrilleras y las dejamos cocer en agua salada con la cebolla, el puerro y el tomate, de 1 hora a 1¼. Colamos el caldo y reservamos la carne. Ponemos ¼ de l del caldo de las carrilleras en un cazo con el queso y la nata. Dejamos cocer aproximadamente 15 minutos hasta que la salsa se espese. Torneamos y cocemos unas zanahorias. Una vez cocidas, las salteamos y servimos como acompañamiento.

Cortamos las carrilleras en lonchas y las cubrimos con la salsa espesa y reducida. Antes de servir, las espolvoreamos con perejil picado.

CARNE AL QUESO

Ingredientes:

- 2 cebolletas o chalotas
- 1 puerro
- 1 copa de brandy
- 250 g de queso para fundir
- ¼ de l de nata
- 1 dl de caldo de carne
- 4 entrecotes o filetes
- aceite
- sal
- pimienta

Elaboración:

Ponemos las cebolletas y la parte blanca del puerro finamente picados a sofreír en una sartén con un chorro de aceite. Sazonamos. Subimos el fuego, añadimos el brandy y flambeamos. Apartamos el recipiente del fuego y le añadimos el queso en dados, la nata y el caldo y volvemos a ponerlo sobre el fuego, removiendo para que la salsa se reduzca. A continuación, la pasamos por un tamiz. Asamos la carne a la parrilla con un poco de aceite dándole vuelta y vuelta. Sazonamos al gusto y acompañamos con la salsa.

CONEJO A LA EXTREMEÑA

Ingredientes:

- 1 conejo de 1,5 kg
- 2 cucharadas de aceite
- 2 dientes de ajo
- 3 rebanadas de pan
- una pizca de tomillo
- 1 hoja de laurel
- ½ cucharada de pimentón dulce o picante
- caldo o agua
- sal
- pimienta

Elaboración:

Troceamos el conejo y lo salpimentamos. Salteamos en el aceite los ajos picados, el pan desmenuzado, el tomillo, el laurel y el hígado del conejo picado. Cuando todo esté sofrito, lo escurrimos y machacamos en un mortero. Poco a poco vamos añadiendo el pimentón.

Doramos el conejo en el mismo aceite. Cuando esté dorado, añadimos el majado del mortero. Removemos bien y cubrimos con caldo o agua y salamos. Cocemos unos 40 minutos, o hasta que el conejo esté hecho. Si la salsa quedara ligera, la ligamos con fécula de patata o harina de maíz desleída en un poco de agua fría.

CONEJO CON ACEITUNAS

Ingredientes:

- 1 conejo
- 1 cebolla
- 2 dientes de ajo
- 300 g de zanahorias
- tomillo / albahaca / harina
- 1 vaso de vino blanco seco
- 1 taza de salsa de tomate
- 12 aceitunas verdes
- 300 g de patatas
- perejil, sal, pimienta y aceite

Elaboración:

En primer lugar limpiamos y troceamos el conejo.

Ponemos en una cazuela un chorro de aceite y sofreímos la cebolla, los ajos, el pimiento y las zanahorias bien picados. Sazonamos y espolvoreamos con tomillo y albahaca. Por último, incorporamos una cucharadita de harina para espesar la salsa.

Enharinamos y sazonamos el conejo. Lo doramos en una sartén con aceite caliente. Cuando esté bien dorado lo ponemos en la cazuela con las verduras rehogadas.

Agregamos el vino, un chorrito de agua y la salsa de tomate. Lo dejamos cocer 30 minutos. Cinco minutos antes de acabar la cocción, incorporamos las aceitunas deshuesadas.

En otro recipiente hervimos las patatas en abundante agua salada. Las pelamos, troceamos y reservamos.

Ponemos el conejo con su salsa en una fuente y lo acompañamos con las patatas cocidas. Adornamos con el perejil picado y servimos enseguida.

CORDERO AL CHILINDRÓN

Ingredientes:

- 1 cebolla
- 1 pimiento verde
- 2 dientes de ajo
- 2 tomates
- 1 kg de cordero troceado
- sal
- harina
- pimienta
- 1 vaso de vino blanco
- 1 cucharada de puré de pimientos choriceros
- caldo o agua
- 4 dientes de ajo
- 1 cucharada de vinagre

Elaboración:

Sofreímos en una cazuela con aceite la cebolla, el pimiento, el ajo y los tomates pelados, picados y sazonados.

Salpimentamos el cordero, lo enharinamos y freímos en una sartén con aceite.

Añadimos a las verduras sofritas el vino y el puré de pimientos choriceros y por último el cordero. Cubrimos con caldo o agua. Rectificamos la sal y dejamos cocer a fuego muy suave unos 30 minutos o algo más. Cuando esté a punto añadimos los ajos majados en un mortero con el vinagre y servimos enseguida.

CHULETAS DE CERDO EN PAPILLOTE

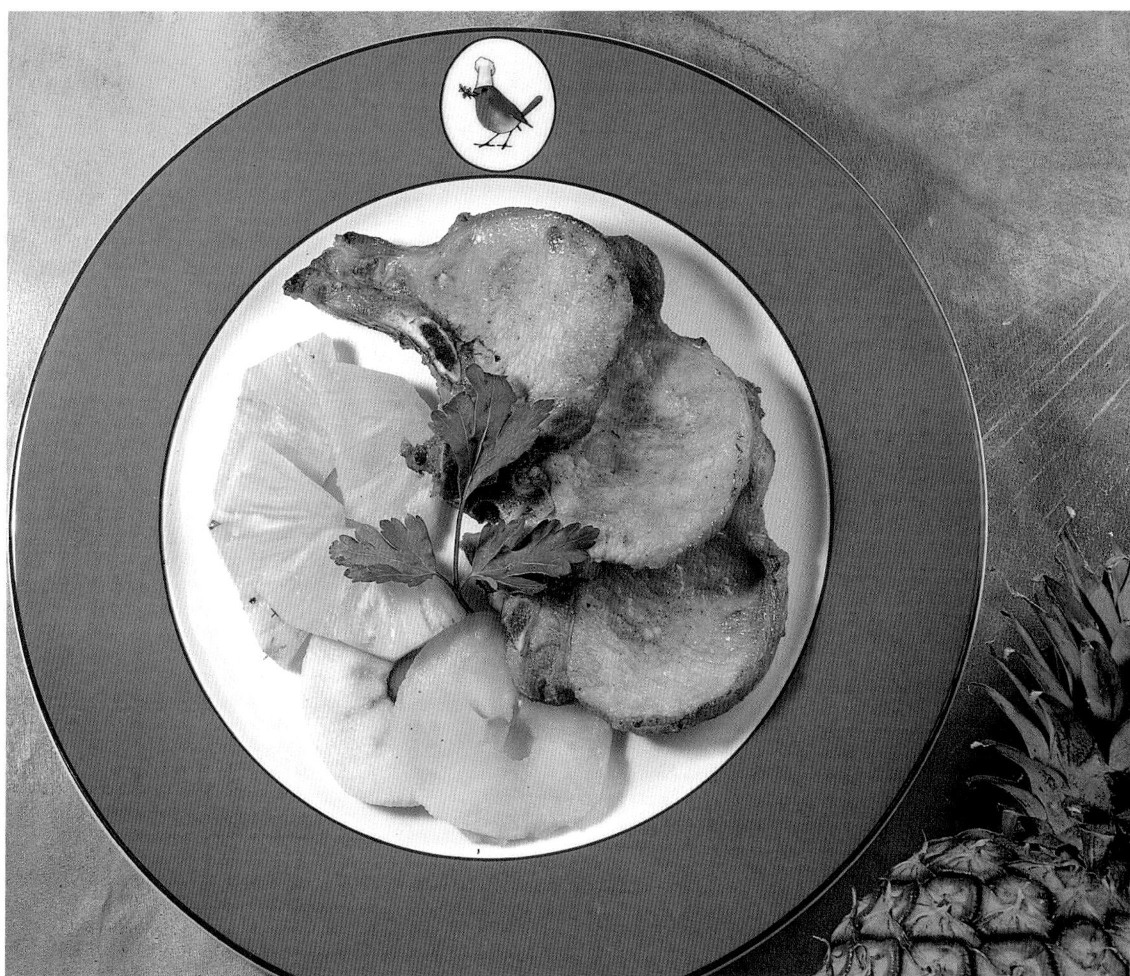

Ingredientes:

- 2 manzanas golden
- 2 lonchas de piña
- 4 chuletas de cerdo
- sal
- pimienta
- aceite
- ½ naranja
- ½ limón
- papel de aluminio

Elaboración:

Ponemos sobre la placa del horno una hoja grande de papel aluminio, para más tarde formar con ella una bolsa o paquete hueco denominado papillote.

Hacemos una cama con las manzanas cortadas a lonchas finas sin piel ni pepitas. Colocamos sobre las manzanas pequeños triángulos de piña.

En una sartén con unas gotas de aceite, doramos a fuego fuerte las chuletas de cerdo y las colocamos encima de las frutas troceadas. Exprimimos la naranja y el limón y rociamos con su zumo las chuletas. Salpimentamos y cerramos totalmente la hoja de papel aluminio haciendo un paquete. Ponemos especial cuidado en doblar bien los bordes para que quede cerrado herméticamente.

Horneamos a 200 grados de 10 a 15 minutos y retiramos la placa. Rompemos la bolsa hecha con el papel aluminio y servimos las chuletas con la fruta como guarnición y regadas con su propio jugo.

CHULETAS RELLENAS

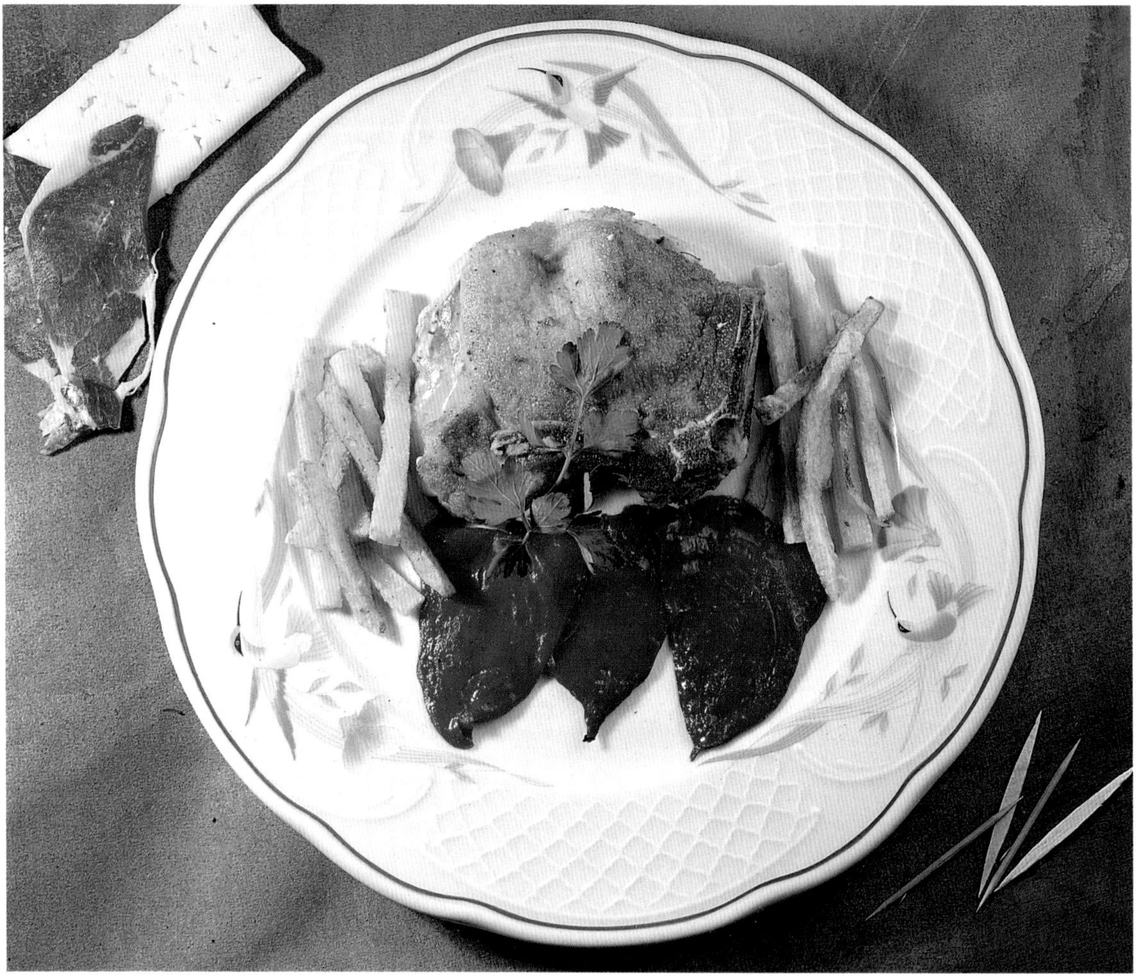

Ingredientes:

- 4 chuletas de cerdo de 2 cm de grosor
- 4 lonchas de jamón
- 4 lonchas de queso
- pan rallado
- aceite de oliva para freír
- 2 dientes de ajo
- 4 patatas fritas
- 8 pimientos morrones fritos
- sal
- palillos

Elaboración:

Cortamos la carne de las chuletas por la mitad desde el borde hasta el hueso para rellenarlas. Las sazonamos y rellenamos con una loncha de jamón y otra de queso. Las sujetamos con un palillo para que no se abran, las pasamos por pan rallado y las freímos a fuego lento en una sartén con aceite y los dientes de ajo. Las salamos.

Las servimos con una guarnición de patatas y pimientos fritos.

CHULETILLAS DE CORDERO EN GABARDINA

Ingredientes:

- 16 chuletillas de cordero
- 2 dientes de ajo picados y 2 enteros
- aceite
- sal
- salsa de tomate

Para la pasta Orly:

- 3 claras de huevo
- 250 g de harina
- 1 sobre de levadura
- 3 yemas de huevo
- ¼ de l de cava
- sal

Elaboración:

Pasta Orly: Batimos las claras con una batidora de varillas. Les añadimos la harina, la levadura, las yemas, el cava y la sal, mezclando poco a poco hasta conseguir la consistencia deseada. La dejamos reposar 1 hora. Obtendremos una excelente pasta para freír.

A continuación, salamos las chuletillas, las colocamos en una placa de horno y esparcimos por encima los ajos picados y unas gotas de aceite. Horneamos a 200 grados durante 5 minutos. Las sacamos y dejamos que se enfríen. Después, las rebozamos con la pasta Orly y las freímos en una sartén con abundante aceite caliente con los 2 dientes de ajo enteros y las escurrimos bien sobre papel absorbente. Las ponemos en una fuente acompañándolas con salsa de tomate.

ENTRÉCULA AL OPORTO

Ingredientes:

- 1 kg de entrécula (diafragma de vacuno)
- 1 cebolleta
- 1 puerro
- 1 tomate
- ½ vaso de vino blanco
- 1 nuez de mantequilla o margarina
- ½ vaso de vino tinto
- ½ vaso de oporto
- 1 vaso de caldo
- sal
- pimienta
- 1 cucharadita de fécula
- puré de plátano

Elaboración:

Dejamos cocer la carne con las verduras, agua salada y el vino blanco, en una olla a presión a fuego suave durante 20 minutos. Una vez fría, la cortamos en lonchas.

Para la salsa, ponemos la mantequilla a derretir en una cazuela, vertemos los vinos restantes y dejamos reducir unos minutos. Agregamos el caldo y dejamos reducir el líquido a fuego vivo unos 5 minutos aproximadamente. Rectificamos la sal y ligamos la salsa con la fécula desleída en agua fría.

Para servir, ponemos el puré de plátano en el fondo de una fuente, colocamos las lonchas de carne encima y las salseamos. Podemos acompañar el plato con patatas rejilla, paja o fritas.

Nota: La entrécula, también llamada diafragma, es un músculo que separa el abdomen del tórax. En cocina se utiliza el de vaca o de buey. Debe consumirse muy fresca. Es deliciosa; su sabor está entre el de carne y el de las vísceras.

FALDA DE TERNERA ESTOFADA

Ingredientes:

- 1½ kg de falda de ternera
- 3 dientes de ajo
- 2 tomates maduros
- 1 cebolla picada
- 1 vaso de vino tinto
- 1 hoja de laurel
- 3 clavos
- sal
- pimentón dulce
- 400 g de patatas
- aceite para freír
- perejil picado

Elaboración:

Cortamos la carne a trozos, la salpimentamos y doramos en un poco de aceite bien caliente. Una vez dorada, la sacamos y reservamos. En el mismo aceite sofreímos los dientes de ajo, la cebolla y los tomates bien picados. Cuando estén bien sofritos, agregamos la carne y las especias, vertemos el vino, lo dejamos reducir y cubrimos con agua. Dejamos cocer a fuego lento durante 1 hora 15 minutos. Salamos, y, si se quiere, añadimos un poco de pimentón.

Como acompañamiento, freímos unas patatas cortadas en bolitas del tamaño de una nuez y las incorporamos al guiso, espolvoreamos con perejil picado y servimos.

FILETES AL CARAMELO

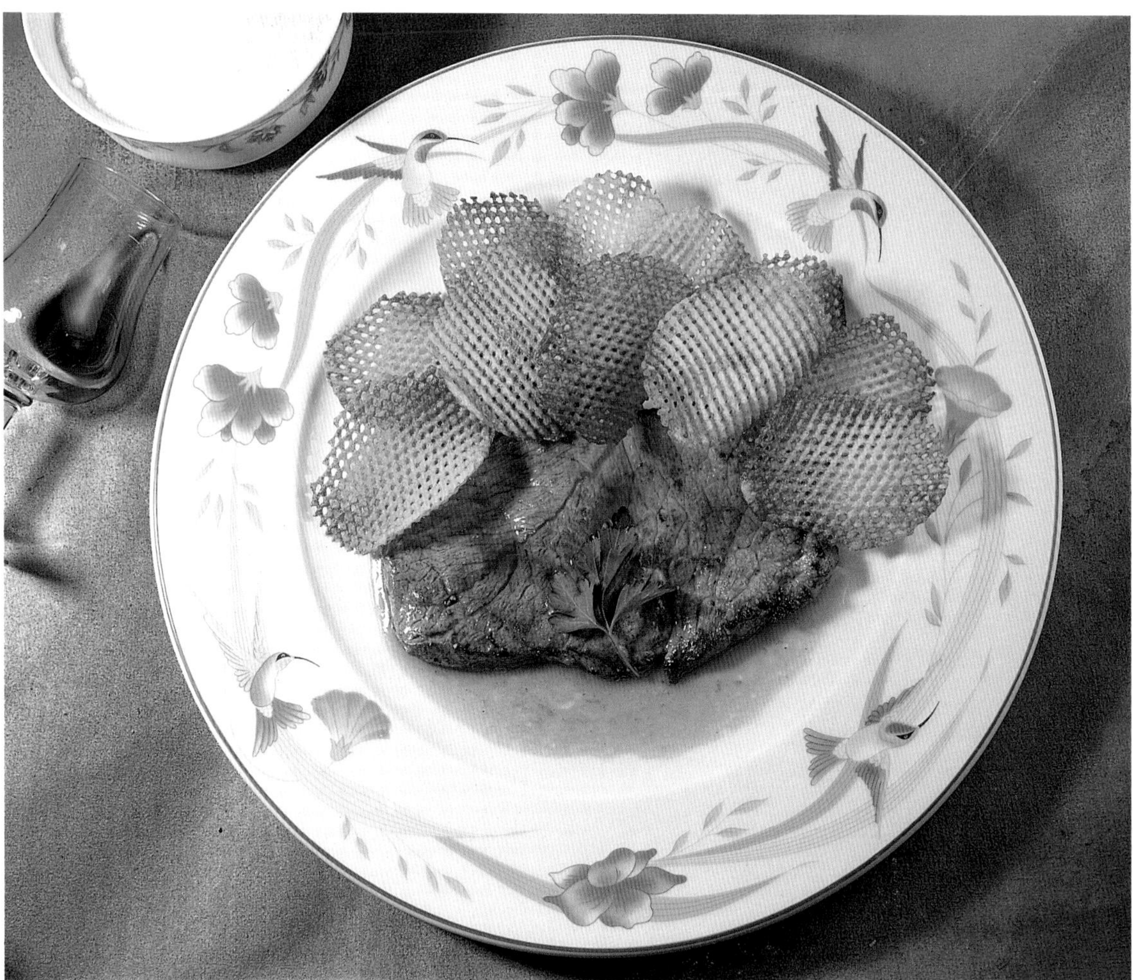

Ingredientes:

- 2 cucharadas soperas de azúcar
- 2 cucharadas soperas de agua
- 1 vaso de vino de Oporto
- 1 vaso de caldo de carne
- 1 cucharadita de fécula o harina de maíz desleída en agua fría
- 4 filetes de ternera de 200 g cada uno
- sal
- pimienta
- aceite
- patatas fritas

Elaboración:

Preparamos caramelo en un cazo con el azúcar y el agua. Cuando se dore un poco agregamos el vino y el caldo. Dejamos la salsa al fuego hasta reducirla a la mitad y la ligamos con la fécula o la harina de maíz. Rectificamos la sal y reservamos.

En una sartén con un poco de aceite, freímos los filetes salpimentados.

Al servir, colocamos los filetes en una fuente y los salseamos con el caramelo.

Los acompañamos con las patatas fritas cortadas en rejilla.

KA

FILETES DE BUEY AL VAPOR

Ingredientes:

- 2 l de agua
- 1 hoja de laurel
- 3 puerros
- ½ cebolla
- 4 granos de pimienta negra
- 4 zanahorias
- ¼ coliflor
- 2 tomates
- 4 filetes de contra de buey
- 4 cucharadas de vinagre
- 1 cucharadita de harina de maíz
- sal
- pimienta

Elaboración:

Vertemos en el fondo de una vaporera 2 litros de agua, 1 hoja de laurel, 1 puerro, ½ cebolla, 4 granos de pimienta negra y 1 zanahoria. Dejamos cocer media hora.

Sobre la rejilla de la vaporera, ponemos los ramitos de coliflor, 2 tomates, los blancos de puerro y las zanahorias restantes, estos dos últimos ingredientes cortados en juliana. Dejamos cocer al vapor durante 8 minutos.

Salpimentamos los filetes y los colocamos en la rejilla superior a las verduras. Los dejamos cocer al vapor entre 5 y 10 minutos; ello depende del grosor de la carne y del gusto de cada uno.

Para la salsa, ponemos a reducir en una sartén el vinagre y un poco del caldo de la vaporera. Una vez reducido, lo ligamos con harina de maíz desleída en agua fría y espolvoreamos con perejil picado.

Servimos la carne salseada con las verduras.

Podemos rociar las verduras con un chorrito de aceite de oliva.

LOMO A LA SAL

Ingredientes:

- 1 kg de sal gorda
- 2 claras de huevo
- 500 g de lomo de cerdo
- 2 tomates
- ½ escarola
- 1 endibia
- sal
- aceite
- vinagre
- 3 pimientos morrones asados

Elaboración:

Mezclamos un kilo de sal con dos claras de huevo y extendemos la mitad de la mezcla en una fuente refractaria, haciendo una especie de cama para el lomo. Una vez colocada la carne encima, la cubrimos con el resto de la sal. Horneamos a 180 grados de 35 a 40 minutos.

Aparte, cortamos los tomates en rodajas finas y las ponemos en el fondo de cada plato.

Colocamos las hojas de escarola encima y las de endibia en forma de aspa. Aliñamos con sal, aceite y vinagre. Sacamos el lomo del horno. Rompemos la costra de sal y cortamos el lomo a lonchas. Presentamos éstas en cada plato con la ensalada, acompañamos con unas tiras de pimientos morrones asados y servimos.

LOMO DE CERDO AL VODKA

Ingredientes:

- 1 cebolleta
- 1 diente de ajo
- 2 pepinillos en vinagre
- 1 vaso de caldo de carne concentrado
- 1 kg de carne de cerdo
- 1 pizca de pimienta de Cayena
- ½ vaso de vodka
- aceite de oliva
- sal
- perejil picado
- guarnición: 200 g de cintas verdes salteadas en mantequilla

Elaboración:

Picamos finamente la cebolleta y el ajo y los sofreímos en una cazuela con un chorro de aceite. Cuando estén dorados, agregamos los pepinillos y el caldo de carne y dejamos cocer a fuego lento. Aparte, cortamos la carne en trozos de 1 cm, la salpimentamos y salteamos en una sartén con un poco de aceite muy caliente. Agregamos la Cayena y el vodka. Con cuidado de no quemarnos, flameamos la carne. Agregamos el lomo flameado a la salsa preparada en la cazuela y la dejamos cocer a fuego lento hasta que la salsa se espese, probamos la sal y espolvoreamos con perejil picado. Acompañamos la carne con la pasta cocida y salteada en una sartén con mantequilla.

MOLLEJAS DE TERNERA AL CAVA

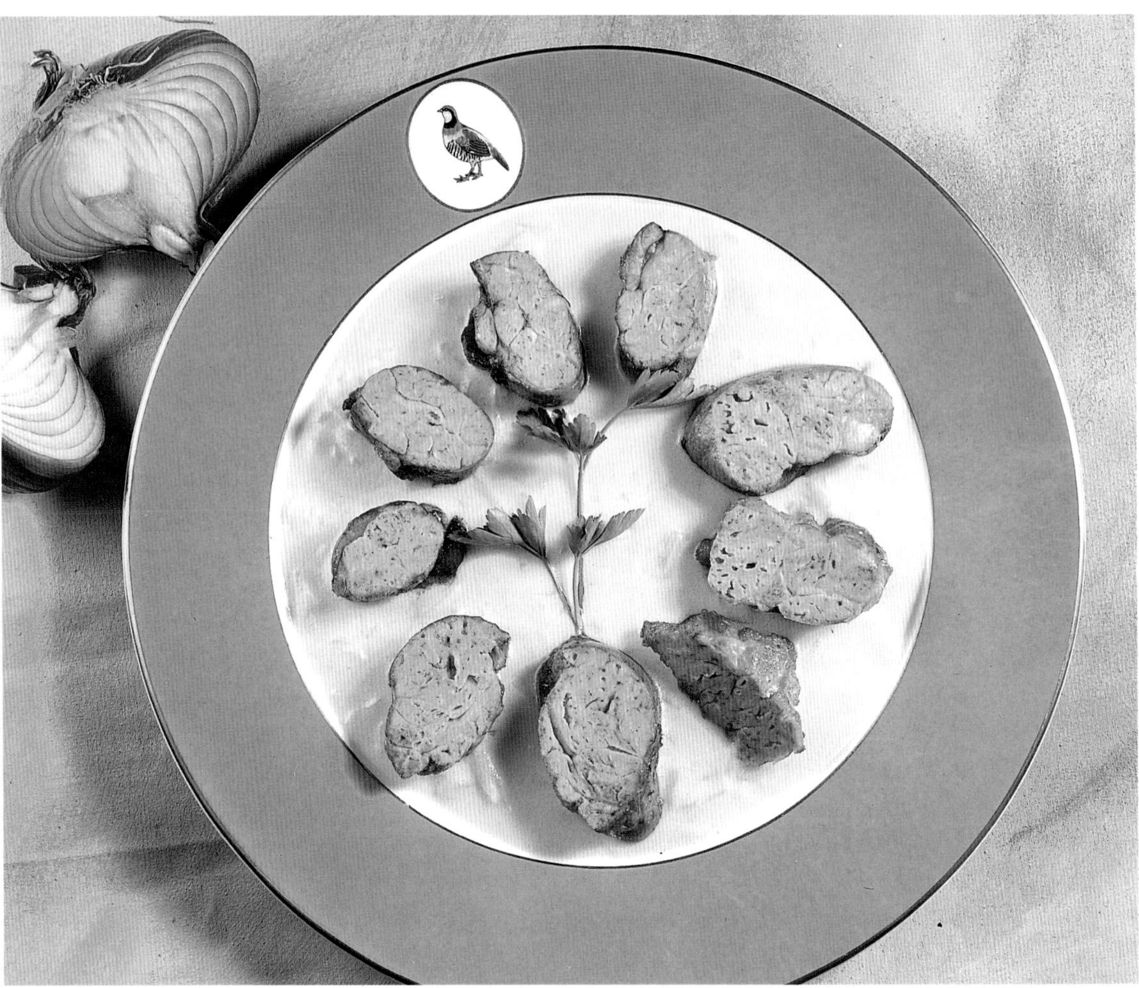

Ingredientes:

- 3 mollejas enteras de ternera
- 2 cucharadas de aceite
- 1 vaso de cava o vino blanco
- sal
- pimienta

Para la salsa:

- 2 cebolletas o 4 chalotas
- 1 nuez de mantequilla o margarina
- 1 vaso de nata
- 1 vaso de cava

Elaboración:

Limpiamos bien las mollejas de telillas y grasas. Las salpimentamos y ponemos en una fuente con el aceite y el cava. La introducimos en el horno y las mojamos con el jugo que suelten, les damos la vuelta y añadimos un poco de agua si fuese necesario. Las horneamos en total unos 30 minutos a 180 grados.

Mientras, sofreímos las cebolletas o chalotas picadas con la mantequilla y agregamos la nata y el cava. Dejamos reducir la salsa y la ligamos. Incorporamos también el fondo de cocción de las mollejas desgrasado.

Para servir, cortamos las mollejas en lonchas. Colocamos la salsa en el fondo de una fuente y encima las mollejas. Espolvoreamos luego con el perejil. Podemos acompañar este plato con unos bréoles cocidos al vapor.

MUSLOS DE POLLO RELLENOS

Ingredientes:

- 4 muslos de pollo deshuesados
- 4 lonchas de jamón curado
- 4 lonchas de queso
- 5 patatas medianas
- 1 cebolleta
- 1 pimiento verde
- sal
- pimienta
- aceite
- fécula
- palillos

Elaboración:

Salpimentamos los muslos de pollo. Los rellenamos con el jamón y el pollo, los enrollamos y sujetamos con palillos.
Pelamos las patatas y las cortamos en lonchas de ½ cm. Después las colocamos en el fondo de la placa del horno y disponemos encima la cebolleta y el pimiento cortados en juliana. Salpimentamos y colocamos los muslos encima, vertemos un chorrito de aceite y un vaso de agua y horneamos a 180 grados durante 35-40 minutos. Si quedara seco, podemos añadir más agua.
Si al servir el fondo de cocción fuera muy líquido, podemos ligarlo con fécula.

PECHUGAS DE POLLO AL OPORTO

Ingredientes:

- ½ cebolleta
- 1 tomate
- ½ kg de champiñones
- 3 pechugas de pollo
- 1 copa de oporto
- 1 copa de nata
- sal
- pimienta
- aceite
- harina de maíz si fuese necesario

Elaboración:

Picamos muy finamente la cebolleta y el tomate pelado y sin semillas. Los ponemos en una cazuela con aceite, sofreímos, sazonamos e incorporamos los champiñones cortados en láminas y las pechugas a tiras. Dejamos sofreír todo y cuando las pechugas estén doraditas añadimos el vino y la nata. Dejamos cocer a fuego lento unos 20 minutos o hasta que la salsa se reduzca. Si queda ligera podemos espesarla con harina de maíz desleída en agua fría.
Como guarnición podemos poner unas patatas paja.

PIZZAS DE RABO DE VACA

Ingredientes:

- 2 rabos de vaca
- 1 cebolla
- 1 tomate
- 1 puerro
- 1 zanahoria
- 2 bases de pizza
- 8 cucharadas de salsa de tomate
- 4 lonchas de jamón cocido
- 8 champiñones
- 2 pimientos del piquillo
- 8 lonchas de queso mozzarella o para derretir

Elaboración:

Ponemos a cocer los rabos con la cebolla, el tomate, el puerro y la zanahoria en agua salada. Los escurrimos.
Aparte, extendemos sobre las bases de pizza la salsa de tomate, colocamos encima el jamón cocido, la carne de rabo desmigajada y los champiñones cortados en láminas. Salamos. Cubrimos con tiras de pimiento del piquillo y las lonchas del queso.
Horneamos a 180 grados durante 20 minutos aproximadamente.
Sacamos y servimos las pizzas calientes.

OSSOBUCO

Ingredientes:

- 4 rodajas de ossobuco
- 3 cebollas picadas finas
- 4 zanahorias picadas finas
- 4 dientes de ajo picados finos
- 10 granos de pimienta
- 1 vaso de vino blanco
- 1 vaso de salsa de tomate
- 2 vasos de caldo de carne
- aceite
- sal
- pimienta
- fécula
- 200 g de pasta hervida

Elaboración:

Salamos la carne y la colocamos en una fuente refractaria honda, la rociamos con un chorrito de aceite y la espolvoreamos con la pimienta. La horneamos a 180 grados durante 30 minutos hasta que se dore.

Sacamos la fuente y le añadimos las verduras, la pimienta, el vino, la salsa de tomate y el caldo y horneamos 2½ horas, dándole vueltas a la carne y vigilando que no quede seca, para lo que podemos añadirle más agua.

Pasamos la salsa por la batidora y, si fuese necesario, podemos ligarla con fécula. Rectificamos la sal.

Servimos las rodajas de ossobuco salseándolas y las acompañamos con la pasta hervida.

POLLO ASADO CON TOMATES

Ingredientes:

- mostaza
- pimienta negra en grano
- 2 dientes de ajo
- 1 cucharada de vinagre
- 1 pollo de 1,2 kg
- 1 vaso de vino blanco
- orégano
- sal gorda

Elaboración:

Aplastamos en un mortero 1 cucharada de mostaza, 4 granos de pimienta negra, los ajos y el vinagre. Colocamos el majado en la placa del horno. Colocamos encima el pollo, limpio y salado.
Untamos el interior del pollo con más mostaza y situamos a su alrededor los tomates previamente pinchados, para que suelten su jugo y se mezclen con los del pollo.
Horneamos 1 hora a 180 grados. A mitad del asado, añadimos el vaso de vino blanco y espolvoreamos con orégano. Posteriormente, si vemos que el pollo está quedando seco, podemos agregarle agua o mejor caldo de verduras.
Cuando esté asado y en el momento de servir, pelamos los tomates, troceamos el pollo y lo cubrimos con el líquido que haya quedado en la placa.

POLLO ESTOFADO DE LAS PALMAS

Ingredientes:

- 1 pollo
- 1 cucharada de manteca
- 2 cebollas o cebolletas
- 1 cabeza de ajos
- 1 hoja de laurel
- 1 cucharada de pimentón dulce
- 1 vaso de vino tinto
- sal
- pimienta
- patatas fritas a dados

Elaboración:

Doramos en la manteca el pollo lavado, troceado y salpimentado. Después añadimos las cebollas picadas, los dientes de ajo, el laurel, el pimentón y el vino y lo dejamos cocer tapado unos 30 minutos. Por último, agregamos las patatas fritas y proseguimos la cocción unos 5 minutos.
Servimos bien caliente.

REDONDO DE TERNERA A LA JARDINERA

Ingredientes:

- 1 kg de redondo de ternera
- 2 cebollas medianas
- 2 tomates
- 1 diente de ajo
- 2 puerros
- aceite de oliva
- vino blanco
- harina de maíz (opcional)
- 2 zanahorias cocidas
- 4 alcachofas cocidas
- 100 g de guisantes cocidos
- 100 g de habas cocidas
- ½ kg de puré de patatas
- sal

Elaboración:

Salamos el redondo y lo ponemos en una placa de horno honda. Lo cubrimos con las cebollas, los tomates, el ajo y los puerros picados. Añadimos un poco de aceite, agua y vino y horneamos a 180 grados durante 45 minutos. Durante la cocción, vertemos agua si hiciera falta. Trasladamos el redondo a un plato.

Pasamos las verduras con su líquido por el pasapurés y vertemos el líquido en un cazo. Si hubiera poca salsa, añadimos agua o caldo y rectificamos la sal. Si fuese necesario podemos ligar la salsa con harina de maíz. Le añadimos las zanahorias cocidas y troceadas, las alcachofas, los guisantes y las habas.

Cortamos el redondo en lonchas. Lo salseamos y acompañamos con el puré de patatas y un chorrito de aceite crudo.

REVUELTO DE SESOS

Ingredientes:

- 3 sesos de cordero
- 2 manojos de ajos tiernos
- 8 huevos
- aceite
- sal
- pimienta negra
- 1 berenjena
- harina

Elaboración:

Limpiamos bien los sesos y los cortamos en rodajas.

Pelamos y lavamos los ajos tiernos, los picamos y sofreímos en una sartén con aceite. Añadimos los sesos, y los salteamos, sazonamos con sal y pimienta negra. Los dejamos cocer y desgrasamos la preparación.

Cascamos los huevos, los salamos y preparamos un revuelto con los sesos en una sartén con aceite. Colocamos el revuelto en una fuente.

Cortamos la berenjena en rodajas, las salamos y enharinamos para freírlas después. Por último, las colocamos alrededor del revuelto.

SAN JACOBOS DE SOLOMILLO

Ingredientes:

- 8 filetes de solomillo
- 2 riñones de cordero
- 8 lonchas de panceta
- aceite
- sal
- pimienta
- bramante para atar

Elaboración:

Aplastamos un poco los filetes de solomillo con ayuda de un cuchillo. Cortamos los riñones en lonchas finas y salpimentamos solomillo y riñones. Preparamos los San Jacobos poniendo las lonchas de riñón entre 2 filetes de solomillo; por último, los enrollamos con la panceta. Los atamos con un bramante para que no se deshagan y los freímos a fuego no muy fuerte, de 3 a 4 minutos por cada lado.

Podemos acompañarlos con unas patatas panadera.

SOLOMILLO DE CERDO AL JEREZ

Ingredientes:

- 1 kg de solomillo de cerdo
- 2 vasos de jerez
- 1 ramita de romero
- pan rallado
- aceite
- sal
- pimienta
- 200 g de tortellini cocidos
- 1 nuez de mantequilla
- 2 plátanos

Elaboración:

Cortamos los solomillos en 8 lonchas y las aplastamos un poco con ayuda del cuchillo. Las colocamos en un cuenco, las cubrimos con el jerez y agregamos la ramita de romero. Tapamos y dejamos adobar unas 2 horas. Transcurrido ese tiempo, sacamos los solomillos, los salpimentamos, los pasamos por pan rallado y los freímos con poco aceite y la ramita de romero.

Los colocamos en los platos y acompañamos con los tortellini salteados con mantequilla, si se desea les podemos añadir un poco de jerez. Adornamos con los plátanos partidos por la mitad y fritos en un poco de aceite.

TERNERA GUISADA PRIMAVERA

Ingredientes:

- 500 g de ternera para guisar
- 4 patatas
- 4 zanahorias
- 12 champiñones
- 8 cebollitas
- 1 cuenco de guisantes
- 1 vasito de vino blanco
- caldo o agua
- aceite
- sal
- pimienta
- perejil picado

Elaboración:

Troceamos la carne, la sazonamos, enharinamos y freímos en una sartén con aceite.

Cuando la carne esté dorada le añadimos las patatas y las zanahorias peladas y torneadas. Incorporamos también los champiñones, las cebollitas, los guisantes y el vaso de vino. Sofreímos 2 minutos y lo cubrimos todo con agua o caldo. Dejamos cocer durante una hora y cuarto a fuego lento. Transcurrido este tiempo, la carne debe estar bien cocida.

Rectificamos la condimentación y la servimos espolvoreada con perejil picado.

POSTRES

BISCUIT DE FRAMBUESAS

Ingredientes:

- 4 claras
- 200 g de azúcar lustre
- 250 g de frambuesas
- 3 dl de nata montada
- 3 plátanos
- 50 g de frambuesas

Crema:

- 200 g de frambuesas
- azúcar al gusto
- ½ copa de cointreau
- 2 dl de nata líquida

Elaboración:

Batimos las claras a punto de nieve y les añadimos el azúcar lustre. Luego, las mezclamos con las frambuesas trituradas y pasadas por el chino o tamiz. Mezclamos con la nata montada y vertemos en un molde. Congelamos unas 4 horas.

Para la crema, trituramos las frambuesas con el azúcar y el cointreau y añadimos la nata.

Para servir, acompañamos el biscuit cortado con la crema y adornamos con plátanos cortados a rodajas y unas frambuesas.

BIZCOCHO CON DULCE DE LECHE

Ingredientes:

- 1 bote de leche condensada azucarada
- 150 g de piñones
- 30 g de azúcar lustre
- 200 g de virutas de chocolate

Bizcocho:

- 50 g de mantequilla para untar el molde
- 4 huevos
- 100 g de azúcar
- 100 g de harina
- 1 cucharada de levadura

Elaboración:

Preparamos el bizcocho con los huevos, el azúcar, la harina y la levadura y lo horneamos a 170 grados durante 25 minutos.
Ponemos la lata de leche condensada en un cazo, con agua fría y la dejamos cocer despacio durante tres horas (si se utiliza la olla a presión 1 hora). La dejamos enfriar en la misma agua y la retiramos.
Cortamos el bizcocho en dos discos, extendemos sobre una capa de dulce de leche sobre una de ellos y lo cubrimos con la otra mitad del bizcocho, reconstruyéndolo. Untamos los costados con más dulce de leche y cubrimos con los piñones tostados. Espolvoreamos la superficie con azúcar lustre y las virutas de chocolate.

CRÊPES DE NARANJA, CRÊPES DE PASAS

Ingredientes para la pasta de crêpes:

- 3 huevos
- 50 g de azúcar
- una pizca de sal
- 3,5 dl de leche
- 130 g de harina
- 6 cucharadas de Grand Marnier
- 40 g de mantequilla

Ingredientes para el relleno de naranja:

- 2 naranjas
- 1 cucharadita de azúcar
- 20 g de mantequilla
- 1 copa de brandy

Ingredientes para el relleno de pasas

- 100 g de pasas
- ½ copa de brandy
- 100 g de azúcar
- 50 g de mantequilla
- zumo de naranja

Elaboración de las crêpes:

Batimos los huevos con el azúcar, la sal y la leche. Luego los añadimos poco a poco a la harina batiendo cuidadosamente para que no se formen grumos.
Untamos con un poco de mantequilla una sartén de unos 18 cm de diámetro. Vertemos la pasta suficiente para cubrir el fondo. Movemos la crêpe para que no se pegue. Cuando está dorada de un lado, le damos la vuelta para que se dore del otro.

Crêpes de naranja: Pelamos las naranjas, las cortamos a lonchas y las mezclamos con el azúcar. Rellenamos con ellas las crêpes. En una sartén con mantequilla flameamos el brandy y posteriormente calentamos en ella las crêpes.

Crêpes de pasas: Remojamos las pasas 2 horas en el brandy y rellenamos con ellas las crêpes. Distribuimos encima el azúcar y la mantequilla y cerramos las crêpes. Las calentamos en una sartén con zumo de naranja unos cinco minutos.

BIZCOCHO DE YOGUR

Ingredientes:

- 1 yogur natural
- 3 huevos
- 2 medidas de yogur de azúcar
- 3 medidas de yogur de harina
- la cáscara rallada de 1 limón
- 1 cucharada de aceite
- 1 sobre de levadura en polvo
- mantequilla para engrasar
- 200 g de nata montada
- 50 g de guindas

Elaboración:

Batimos los huevos, y los mezclamos bien con el azúcar. Agregamos después el yogur poco a poco mezclando bien.

A continuación, echamos la harina, la ralladura de limón y el aceite. Mezclamos todo con fundamento y por último agregamos la levadura en polvo.

Engrasamos un molde con mantequilla y vertemos en él la mezcla del bizcocho. Horneamos a 160 grados durante 1 hora aproximadamente. Lo sacamos y dejamos enfriar.

Lo volcamos una vez frío y lo adornamos con la nata montada puesta en una manga pastelera y unas guindas.

FLAN DE CHOCOLATE CON CHANTILLY

Ingredientes:

- ½ l de leche
- 25 g de cacao
- 5 huevos
- 175 g de azúcar
- 300 g de nata para montar
- 50 g de azúcar lustre
- mantequilla para untar el molde

Elaboración:

Ponemos a hervir en un cazo la leche, le agregamos el cacao y mezclamos bien.

Engrasamos con mantequilla un molde en forma de corona con el hueco en el centro o un flanero.

Mezclamos en un cuenco los huevos con el azúcar y les agregamos poco a poco la leche hervida con el cacao que habremos dejado templar. Mezclamos bien y vertemos la preparación en el molde. Horneamos al baño maría durante 40 minutos a 180 grados. Transcurrido este tiempo sacamos del horno y dejamos enfriar en el mismo molde. Una vez el flan frío, lo volcamos sobre una fuente. Montamos la nata con el azúcar lustre, adornamos con ello el flan y lo servimos.

CÍTRICOS A LA MENTA

Ingredientes:

- 2 naranjas
- 1 pomelo
- 1 limón
- 1 kiwi
- 1 cucharada de azúcar
- ½ copa de licor
- menta fresca

Elaboración:

Pelamos las frutas y cortamos 1 naranja, el limón y el pomelo en gajos y el kiwi a rodajas. Colocamos los gajos de naranja en forma de círculo en un plato. Intercalamos gajos de pomelo entre los de naranja. En el centro del círculo ponemos el limón y lo cubrimos con el kiwi. Espolvoreamos con el azúcar por encima.

Exprimimos el zumo de la naranja restante y lo mezclamos con un poco de licor. Rociamos con ello toda la fruta y la adornamos con unas hojitas de menta fresca.

FLAN DE TOCINO DE MELOCOTÓN

Ingredientes:

- 2 cucharadas de azúcar
- 6 yemas
- 150 g de azúcar
- ½ kg de melocotón en almíbar
- ½ copa de brandy
- 125 g de bizcochos de soletilla
- 200 g de nata montada
- 1 cajita de frambuesas

Elaboración:

Caramelizamos un molde para flan con 2 cucharadas de azúcar. Mezclamos en un cuenco las yemas con el resto del azúcar, batiendo con energía. Después agregamos el almíbar del melocotón, el melocotón troceado, el brandy y los bizcochos de soletillas desmenuzados. Mezclamos bien y vertemos en el flanero.
Horneamos a 160 grados durante 30 minutos en un baño maría. Lo sacamos y dejamos enfriar. Una vez frío, lo volcamos y adornamos con la nata montada y las frambuesas.

HOJALDRE DE FRUTAS

Ingredientes:

- 300 g de hojaldre
- 250 g de crema pastelera
- 1 manzana / 1 plátano
- 1 cajita de frambuesas
- 1 huevo batido
- azúcar lustre

Crema pastelera:

- 1 l de leche
- 150 g de azúcar
- 75 g de harina de trigo
- 25 g de harina de maíz refinada
- 1 palo de vainilla o canela
- 1 huevo entero / 7 yemas
- 1 nuez de mantequilla

Elaboración:

Extendemos con el rodillo 2 láminas de hojaldre. Colocamos una de ellas sobre la placa del horno, extendemos la crema pastelera por encima y, sobre ésta la manzana pelada, descorazonada y cortada en láminas finas. Seguidamente ponemos lonchas finas de plátano y las frambuesas salteadas. Tapamos todo con la otra lámina de hojaldre y sellamos los bordes presionándolos con un tenedor. Pincelamos el hojaldre con el huevo batido y lo horneamos a 150 grados durante 40 minutos aproximadamente.

Lo sacamos del horno, adornamos con azúcar lustre y lo servimos.

Para la crema: Ponemos a hervir en un cazo la leche con la vainilla. En un cuenco ponemos el azúcar, la harina de trigo y la de maíz y lo mezclamos bien. Incorporamos las yemas y el huevo entero. Agregamos la leche con la vainilla, templada, y removemos sin parar hasta que espese. Realizamos esta operación a fuego lento y con cuidado de que no hierva. Por último, vertemos la crema en un cuenco bañado con mantequilla para que no se haga costra.

MANZANAS AL CARAMELO

Ingredientes:

- 6 manzanas grandes
- mantequilla
- 200 g de azúcar
- 1 copa de ron o brandy
- agua
- 8 cucharadas de azúcar
- 1 vaso de nata

Elaboración:

Quitamos el corazón a las manzanas. Las ponemos en un placa de horno y rellenamos el centro con la mantequilla y el azúcar. Las rociamos con el licor y por último añadimos un poco de agua. Las horneamos unos 25 minutos hasta que estén tiernas.

Mientras, preparamos el caramelo con 8 cucharadas de azúcar y un poco de agua; cuando esté dorado, pero no demasiado, añadimos la nata y dejamos hervir la salsa hasta que tenga la textura de una crema. Bañamos con ella las manzanas o las colocamos encima.

MANZANAS ASADAS CON SALSA DE VINO

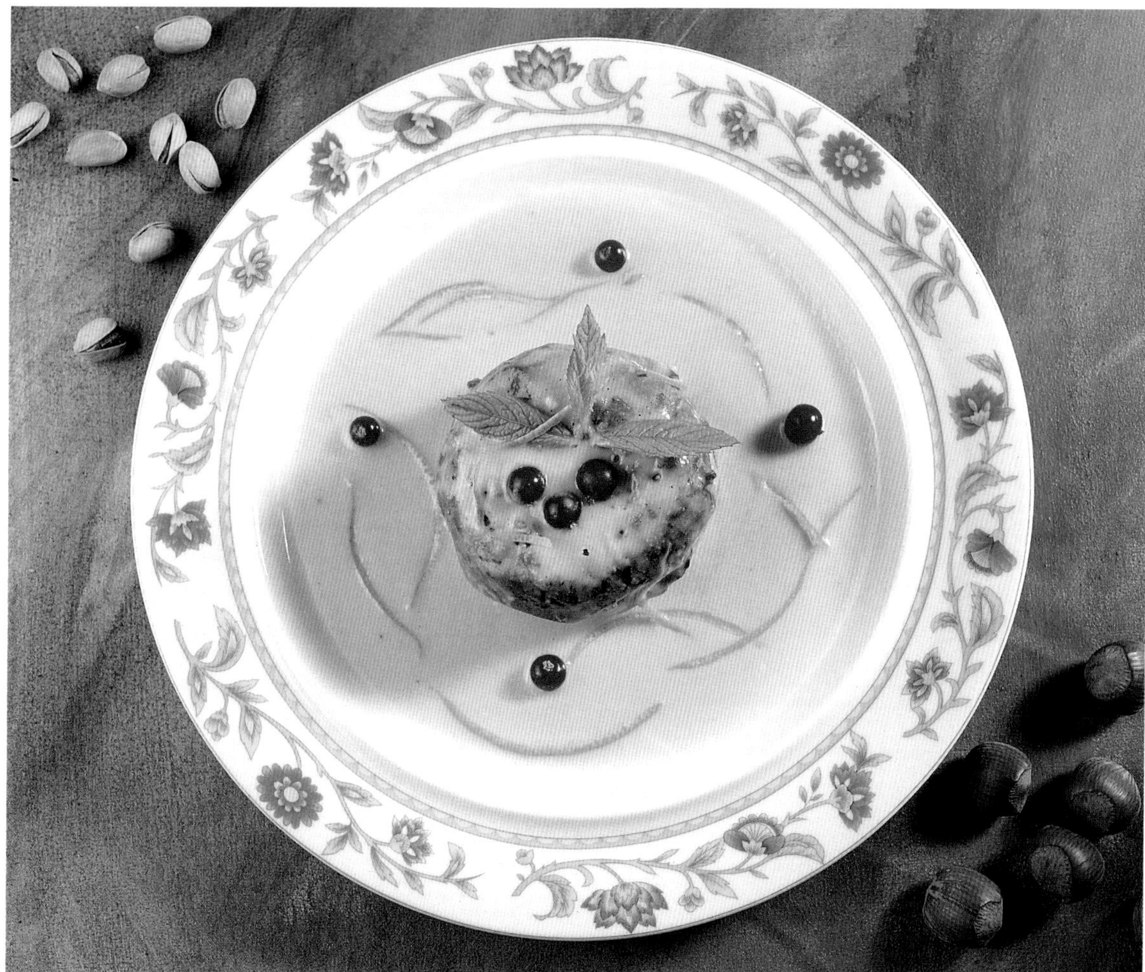

Ingredientes:

- 8 manzanas reineta
- 100 g de frutos secos: avellanas, pistachos, almendras
- 3 cucharadas de azúcar
- 30 g de margarina o mantequilla
- ½ vaso de agua

Para la salsa:

- 1 huevo
- 1 yema
- ½ sobre de levadura
- el zumo de ½ limón
- 2 cucharadas de azúcar
- 1 vaso de vino blanco

Elaboración:

Picamos los frutos secos y los mezclamos con 2 cucharadas de azúcar y la margarina. Limpiamos las manzanas, les hacemos un corte longitudinal en la piel y les quitamos el corazón. Las rellenamos con la mezcla y las espolvoreamos con el resto del azúcar. Las horneamos con ½ vaso de agua de 20 a 30 minutos a 160 grados.

Para la salsa, batimos el huevo, la yema y la levadura con el zumo de limón y el azúcar hasta que la mezcla espume y blanquee. Cuando esté montada y sin parar de remover, añadimos el vino despacio, ponemos la salsa al fuego y la calentamos batiendo sin cesar.

Para servir rociamos las manzanas con la salsa. Podemos decorarlas con unas hojitas de menta y cáscara de naranja en juliana.

LECHE FRITA CON NATILLAS

Ingredientes para la leche frita:

- 1 l de leche
- ralladura de 1 naranja
- 1 trozo de canela en rama
- 6 yemas de huevo
- 200 g de azúcar
- 100 g de harina de maíz
- harina
- 3 huevos
- aceite para freír
- azúcar
- canela en polvo

Para las natillas:

- ½ l de leche
- 1 trozo de canela
- 6 yemas de huevo
- 75 g de azúcar

Elaboración:
Hervimos la leche con la canela y la ralladura de naranja. Mezclamos las yemas con el azúcar y la harina de maíz desleída en un poco de agua fría. Vertemos encima la leche hirviendo y mezclamos bien. Ponemos de nuevo al fuego, sin dejar de remover hasta que la salsa espese y la vertemos después en una placa para que se enfríe. Cuando esté frío, la cortamos a trozos, los rebozamos en la harina y los huevos y los freímos en aceite bien caliente. Los escurrimos y espolvoreamos con azúcar y canela.
Para servir, vertemos las natillas en el fondo de una fuente y colocamos decorativamente los trozos de leche frita.

Para las natillas: Hervimos la leche con la canela en un cazo y la dejamos entibiar. Mezclamos las yemas con el azúcar y les añadimos la leche tibia. Ponemos de nuevo el cazo al fuego 5 minutos para que las natillas espesen lentamente, sin que lleguen a hervir. Las retiramos y removemos. Las dejamos enfriar.

MELÓN CON PLÁTANO

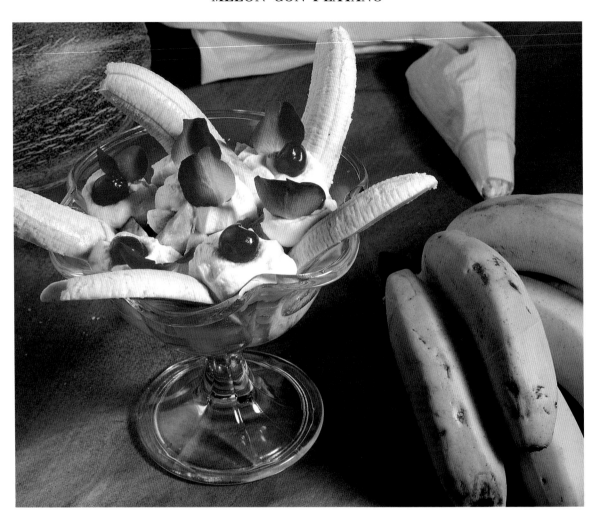

Ingredientes:

- 1 melón grande y maduro
- 4 plátanos
- licor de plátano o melón
- 200 g de nata montada
- 1 sobre de guindas

Elaboración:

Cortamos el melón en rodajas separándolas de la corteza. Cortamos la pulpa en dados pequeños.
Pelamos los plátanos y los cortamos en rodajas al bies. Mezclamos ambas frutas, les añadimos un chorro de licor de plátano o melón y las adornamos con la nata montada y las guindas. Reservamos en el frigorífico y servimos muy frío.

NARANJAS Y PLÁTANOS GRATINADOS

Ingredientes:

- 3 naranjas
- 2 plátanos
- 50 g de almendras fileteadas sin tostar
- 2 cucharadas de coco rallado
- 50 g de azúcar
- 1 copa de licor de naranja
- 25 g de mantequilla o margarina
- menta para decorar

Elaboración:

Pelamos las naranjas y las cortamos en rodajas gruesas. A continuación, pelamos y cortamos en rodajas los plátanos.
Colocamos las frutas troceadas en una fuente. Las espolvoreamos con las almendras, el coco rallado y el azúcar. Rociamos con el licor de naranja y ponemos encima unas nueces de mantequilla. Gratinamos en el horno 5 minutos aproximadamente.
A continuación, reducimos el zumo que suelten al hornear y rociamos con él las frutas antes de servirlas.
Podemos adornarlas con una ramita de menta.

PASTEL DE UVAS

Ingredientes:

- 3 huevos
- 175 g de harina
- 175 g de azúcar
- 1 chorrito de aceite
- 1 pizca de levadura
- 1 chorrito de ron
- ½ vaso de agua templada
- mantequilla para engrasar
- 1 kg de uvas peladas
- sal / azúcar lustre
- crema de grosellas

Crema de grosellas:

- almíbar: ½ l de agua y 200 g de azúcar
- 200 g de grosellas

Elaboración:

Batimos bien los huevos y los mezclamos con la harina y el azúcar. Les agregamos un chorrito de aceite y seguimos mezclando con la levadura. Por último, agregamos un poquito de ron y el agua templada poco a poco hasta obtener una pasta homogénea. Les agregamos una pizca de sal y la vertemos en un molde redondo engrasado. Colocamos las uvas encima y horneamos 40 minutos a 180 grados, sacamos el pastel del horno y esperamos a que se enfríe; lo volcamos. Para servir lo espolvoreamos con azúcar lustre y acompañamos con una crema de grosellas.

Para la crema: Ponemos a cocer a fuego medio el agua con el azúcar y dejamos reducir a la mitad. Una vez hecho el almíbar agregamos las grosellas ligeramente aplastadas. Pasamos la mezcla por un chino o colador.
El espesor de la crema dependerá de la cantidad de almíbar que utilicemos.

PERAS AL VAPOR DE MENTA

Ingredientes:

- 1 vaina de vainilla
- 250 g de azúcar
- 1 manojo de menta
- 8 peras
- el zumo de 2 limones
- 100 g de frambuesas

Elaboración:

En el recipiente inferior de una vaporera, ponemos la vainilla, el azúcar y la menta. Cubrimos con agua. Disponemos encima el recipiente superior de la vaporera y en su interior colocamos las peras peladas pero con su rabo y mojadas con zumo de limón. Tapamos y dejamos cocer al vapor de 15 a 20 minutos hasta que las peras estén tiernas.

Sacamos las peras y dejamos que su fondo de cocción se reduzca hasta convertirse en jarabe. Servimos las peras frías con la salsa caliente y adornamos con menta.

También podemos acompañar este postre con mermeladas o salsas de fruta.

PERAS CON CREMA DE CAFÉ

Ingredientes:

- 4 peras grandes
- 100 g de azúcar
- el zumo de 1 limón
- 1 vaso de leche
- 1 cuchara de café soluble
- 1 copa de ron
- 2 yemas de huevo
- 1 cucharadita de harina de maíz
- agua

Elaboración:

Pelamos las peras, las ponemos en una cacerola, las cubrimos con agua y agregamos la mitad del azúcar y el zumo de limón. Las cocemos hasta que estén tiernas.

Ponemos un cazo al fuego y echamos la leche con el café y el azúcar restante.

Mezclamos bien el ron con las yemas y los agregamos al cazo con la leche y dejamos cocer a fuego lento removiendo. Mezclamos un poco del líquido de cocción de las peras con la harina de maíz y lo incorporamos también al cazo. Dejamos que la crema se espese, le agregamos un poco más del agua de cocer las peras para obtener una crema fluida. Colocamos las peras en forma de círculo en un plato y las rociamos con la crema.

QUESADA PASIEGA

Ingredientes:

- 1 kg de queso fresco de Burgos
- 300 g de azúcar
- 2 huevos
- ½ copa de brandy
- la ralladura de 1 limón
- una pizca de canela en polvo
- 250 g de harina
- mantequilla o harina para engrasar el molde
- azúcar lustre para espolvorear

Elaboración:

Mezclamos todos los ingredientes excepto la harina y el azúcar lustre. Cuando estén bien amalgamados, tamizamos por encima la harina y mezclamos con cuidado.
Vertemos la pasta en un molde redondo, bajo y untado con mantequilla. Horneamos de 15 a 20 minutos aproximadamente a 170 grados. Cuando la quesada esté cuajada y con un ligero tono tostado, la sacamos del horno y la espolvoreamos con azúcar lustre.

ROSADA DE PLÁTANOS

Ingredientes:

- 7 plátanos
- el zumo de 1 naranja
- el zumo de 1 limón
- ¼ l de vino rosado
- 200 g de azúcar
- una pizca de canela
- aceite para engrasar

Elaboración:

Colocamos 6 plátanos formando una estrella en una fuente refractaria redonda y engrasada con aceite.

Colocamos en el centro de la estrella el séptimo plátano cortado en rodajas. Lo rociamos con los zumos de naranja y limón mezclados.

Preparamos un almíbar con el vino, el azúcar y la canela y bañamos con él los plátanos.

Horneamos a 150 grados durante 10-15 minutos aproximadamente. Transcurrido este tiempo, sacamos la fuente del horno y vertemos el almíbar del fondo de la fuente por encima de los plátanos.

SOPA DE FRUTAS

Ingredientes:

- 350 g de frutas variadas (kiwis, plátanos, piña, pera, uvas)
- 6 cucharadas de azúcar
- 1 vaso de vino blanco afrutado
- el zumo de 2 naranjas
- canela
- 200 g de hojaldre
- 1 huevo

Elaboración:

Limpiamos y troceamos las frutas. Las repartimos en tazones o cuencos refractarios. Los espolvoreamos con el azúcar, las mojamos con el vino, el zumo de naranja, canela y parte de la corteza de naranja cortada en tiras finas. Tapamos cada tazón con una lámina de hojaldre, lo pincelamos con huevo y horneamos unos 15 minutos o hasta que el hojaldre se dore. En ese momento el postre estará listo para servir.

MOUSSE DE LIMÓN

Ingredientes:

- 100 g de azúcar
- 4 yogures de limón
- la ralladura de 1 limón
- ½ l de nata montada
- 1 cajita de grosellas
- unas hojas de menta

Elaboración:

Mezclamos bien el azúcar, los yogures y la ralladura de limón y agregamos finalmente la nata batiendo con unas varillas. Vertemos la mousse en copas y la adornamos con las grosellas y unas hojas de menta. Lo servimos muy frío.

SOPA DE LECHE Y NUECES

Ingredientes:

- 1 l de leche
- ½ trozo de canela en rama
- 200 g de azúcar
- 100 g de nueces picadas
- ¼ de barra de pan de la vigilia
- cáscara de naranja
- 100 g de nueces caramelizadas

Elaboración:

Mezclamos en una cacerola la leche con la canela, el azúcar y las nueces picadas. Las ponemos al fuego y añadimos el pan troceado. Dejamos hervir a fuego lento hasta que la sopa se espese, pero no demasiado.

La vertemos en tazones de servicio y la adornamos con las tiras de cáscara de naranja y las nueces caramelizadas.

SUFLÉ DE NARANJA

Ingredientes:

- 50 g de mantequilla
- 50 g de harina
- ¼ l de leche
- 4 yemas
- 75 g de azúcar lustre
- 1 pizca de canela en polvo
- cáscara de naranja rallada
- 1 chorrito de licor de naranja
- 5 claras
- azúcar lustre para espolvorear
- mantequilla para engrasar el molde
- gelatina de naranja amarga
- tiras de cáscara de naranja

Elaboración:

Preparamos una salsa bechamel con los ingredientes típicos: la mantequilla, la harina y la leche. La dejamos enfriar y agregamos las 4 yemas, el azúcar lustre, una pizca de canela en polvo, ralladura de naranja y un chorrito de licor de naranja o al gusto. Mezclamos todo bien.

Aparte, montamos las claras y las mezclamos con cuidado con la preparación anterior. Untamos un molde para suflé con mantequilla y lo espolvoreamos con harina. Vertemos la mezcla en este molde y horneamos a 180 grados durante 30 minutos.

Sacamos el molde del horno y lo espolvoreamos con azúcar lustre. Lo podemos decorar con gelatina de naranja amarga o con tiras de cáscara de naranja. Servimos enseguida.

TARTA DE ÁNGEL

Ingredientes:

- 6 huevos
- 4 yemas
- 100 g de azúcar
- 100 g de harina de maíz
- 150 g de cabello de ángel
- licor de naranja mezclado con agua y azúcar
- azúcar lustre
- chocolate de cobertura
- mermelada al gusto

Elaboración:

Batimos las yemas y los huevos con el azúcar. Cuando esté bien espumoso, añadimos la harina de maíz poco a poco y mezclamos con mucho cuidado.

Forramos un molde para tarta con papel de estraza y lo untamos bien con mantequilla. Vertemos la mezcla con delicadeza y la dejamos cocer al baño maría en el horno, a fuego muy lento, unos 40 minutos. Comprobamos si el bizcocho está cocido con la ayuda de una aguja de punto o varilla. Si se pega, es que aún no está hecho. Si está cocido retiramos del fuego y dejamos enfriar el bizcocho en el mismo baño.

Cuando esté frío, lo volcamos y cortamos por la mitad, obteniendo dos discos. Extendemos en el disco inferior el cabello de ángel y en el superior el licor de naranja, rebajado con agua y azúcar. Colocamos un disco sobre otro y adornamos la tarta con azúcar lustre y virutas de chocolate de cobertura. Podemos servirla acompañada de mermelada al gusto.

TARTA DE NATA Y CHOCOLATE

Ingredientes:

- bizcocho
- 4 cucharadas de crema pastelera
- 1 cucharada de chocolate derretido
- 300 g de nata montada con azúcar
- frutas para decorar (fresas, kiwi, cerezas)
- licor para emborrachar el bizcocho (kirsh o jarabe)

Para el bizcocho:

- 5 huevos
- 5 cucharadas de azúcar
- 5 cucharadas de harina
- 1 sobre de levadura

Elaboración:

Cortamos el bizcocho por la mitad, también podemos dividirlo en más capas dependiendo de su grosor. Lo rellenamos con la crema pastelera mezclada con el chocolate. También podemos agregar algunas frutas picadas. Rociamos la parte superior con el licor y cubrimos el bizcocho con la nata montada y lo decoramos con las frutas de su elección.

Bizcocho: Ponemos en un cuenco grande los huevos y el azúcar y batimos hasta que la preparación esté espumosa. Agregamos la levadura y la harina y continuamos batiendo con fuerza. Vertemos la mezcla en un molde untado con mantequilla y harina. Horneamos a 180 grados de 20 a 25 minutos. Dejamos enfriar y desmoldamos el bizcocho.

TARTA DE PIÑA CON CREMA

Ingredientes:

- 200 g de pasta quebrada o brissée
- 300 g de crema pastelera
- 1 lata de piña de 1 kg
- ½ frasco de mermelada de albaricoque
- 30 g de pasas de Corinto
- ½ copa de ron
- 100 g de almendras o piñones

Pasta quebrada:

- ¼ kg de mantequilla
- ¼ kg de azúcar glas
- 1 huevo
- 350 g de harina

Elaboración:

Extendemos la pasta con un rodillo y forramos con ella un molde engrasado. La horneamos a 180 grados de 20 a 30 minutos cubierta con papel y alubias secas. Sacamos el papel y las alubias, dejamos enfriar y extendemos la crema pastelera por encima, y a continuación la piña cortada en rodajas. Cubrimos con la mermelada de albaricoque y adornamos por encima con las pasas maceradas en ron, las almendras fileteadas o los piñones. Por último, horneamos la tarta durante 3 minutos a 180 grados.

Para la pasta: Derretimos la mantequilla y la trabajamos hasta el «punto de pomada». Agregamos el azúcar y mezclamos uniformemente. Añadimos luego el huevo y mezclamos de nuevo. Por último, ponemos la harina y mezclamos hasta que ésta sea totalmente absorbida. Amasamos una especie de gran morcilla y la envolvemos en una hoja de plástico. Lo dejamos reposar en el frigorífico durante 24 horas antes de su utilización. Esta pasta se conserva perfectamente en el congelador.

TARTA DE SANTIAGO

Ingredientes:

Para la pasta:

- 1 huevo
- 1 cucharada de agua
- 125 g de azúcar
- una pizca de canela en polvo
- harina

Para el relleno:

- 4 huevos
- 250 g de azúcar
- ralladura de 1 limón
- 250 g de almendras molidas
- pizca de canela en polvo
- azúcar lustre

Elaboración:

Para la pasta: Amasamos el huevo con 1 cucharada de agua, el azúcar y la canela. Añadimos harina poco a poco hasta que no admita más.

Para el relleno: Batimos los huevos con el azúcar, la ralladura de limón y cuando empiecen a espumar, añadimos las almendras molidas y la canela.
Extendemos la pasta con un rodillo y forramos un molde previamente engrasado. Lo rellenamos con la preparación de almendras y horneamos a 180 grados hasta que la superficie esté ligeramente dorada; de 25 a 30 minutos aproximadamente.
Espolvoreamos con azúcar lustre y dejamos enfriar antes de servir.